인생은 드라이빙

일곱빛깔 인생운전기

대인고등학교 이토록 뜻밖의 책모임 지음

인생산책

목차

1장 인생은 드라이빙

조수석에 앉은 네비게이션_길 6

다시 운전대를 잡은 이유_놀자 11

10년 만에 다시 잡은 운전대_박상희 18

차가운 도로 위의 포근한 한마디_해바라기 22

"엄마는 운전하는 게 재미있어요?"_몸짓으로 28

언제 운전할래?_마이몽 33

나는 운전자다_마이몽 40

3인 3색 드라이버_보랑 46

꼬마 과학자와 낚시 의자_길 61

2장 인생은 플라잉

막귀의 피아노_해바라기 68

계란찜 한 숟갈_길 76

갈치구이와 동전지갑_길 80

작은 도토리 씨앗 큰 나무가 되다._길 86

그 순간으로 돌아간다면_박상희 92

한 시간만 달리면 돼_박상희 96

모두 잠든 시간_박상희 103

취미 유목민의 취미 부자 도전기_박상희 107

명품 가방들과 봉고차를 탔다_놀자 112

동인천역 대한서림에서 널 기다릴게_놀자 117

요즘 어떤 음악 들어?_놀자 122

돈 내고 벌 받으러 가요_놀자 126

비 오는 날_놀자 132

애완동물 아닌 반려동물과 살아가기_몸짓으로 136

연하가 어때서. 있는 그대로 봐주세요!!!_몸짓으로 144

'몸짓으로'라고 불러줘_몸짓으로 150

나이듦을 배우다_몸짓으로 155

네 자매라고? 응, 내 자매들이야!_보랑 159

귀신을 보았다._보랑 168

JEJU Se1. 너는 '사랑'_보랑 176

JEJU Se2. 꽃은 피어나리_보랑 184

작가의 말 190

1장 인생은 드라이빙

조수석에 앉은 네비게이션

길

나는 운전을 하지 않는다. 못한다는 것이 맞는 말일까? 면허증은 있다. 1년 전 10년 무사고로 면허증 갱신까지 했다. 그동안 장롱에서 잠만 자고 있었다.

운전하는 것이 무섭다. 사고가 날까 두렵기도 하고 다른 사람들에게 피해를 입히지 않을까 걱정이 앞선다. 주변 사람들은 겁 많은 내가 방어 운전을 하느라 오히려 다른 차들이 힘들 거라 말하기도 한다. 남편은 내가 운전 중 놀라서 갑자기 차를 멈출 수도 있다며 극구 말렸다.

사실 조수석에 앉아 있으면서도 흠칫흠칫 놀랄 때가 한두 번이 아니다. 종종 소리도 지른다. 남편은, 정작 운전하는 본인은 아무렇지도 않은데 왜 옆에서 자꾸 소란이냐며 혀를 찬다. 나도 내가 왜 이러는지 모르겠다.

이런 내 얼굴에 미소가 지어질 때는 아는 길을 갈 때다. 나는 길치와는 거리가 멀다. 한 번 갔던 길은 웬만하면 기억한다. 나는 내가 아는 지름길을 남편에게 알려주고 빨리 움직이는 것이 효율적이라고 생각해 아는 척을 시전한다.

"여기 쭉 가면 00아파트가 나와. 사잇길로 가면 바로 주차장이야."
"조용히 좀 해. 자꾸 옆에서 떠들면 내비 소리가 안 들리잖아."

신혼 초 남편과 함께 차를 타고 갈 때마다 투닥거리길 반복했다. 나는 조금이라도 빨리 도착하려는 마음이었는데 남편은 내 말을 듣지 않았다. 이쪽 길은 내가 더 훤한데, 왜 알려주는 길로 가지 않고 돌아가는지 답답했다. 남편은 길눈이 어두워 내비게이션에만 의존해 운전하는 사람이다. 나보다 내비게이션이 더 믿음직스러운 걸까? 이래 봬도 왕년에 길 잘 안다고 택시기사인 이모부도 인정했고, 동생들도 나를 '인간 내비게이션'이라고 했는데...

20대 뚜벅이 시절엔 대중교통 노선을 빠삭하게 알고 있었다. 그때는 핸드폰도 없었으니, 수첩에 있는 지하철 노선도를 보며 갈 곳을 미리 생각해야 했다. 한번 다녀온 곳의 버스 노선은 곧잘 기억했다. 걸어 다니며 건물의 사이, 길의 다름을 느끼곤 했다. 가족들도 외출

할 때면 버스 번호와 노선을 나에게 물었다. 그러면 나는 가장 편하고 빠른 길을 안내해 주었다.

그렇다고 길을 외우려고 일부러 노력한 건 아니다. 나는 그저 버스에 올라 창밖을 보는 걸 좋아했다. 버스가 지나며 지나치는 것들을 본다. 옛날과 달라진 건물, 길, 사람들... 공간과 시간이 함께 흐르고 있다는 것을 아무 생각 없이 바라본다. 바깥 풍경에 집중하다 보면 금방 목적지에 도착했고, 내가 지나온 공간들이 저절로 머릿속에 들어와 자리를 잡았다.

길을 기억한다는 건, 내겐 주변을 관심 있게 보는 것과 다르지 않다. 달리 말하면, 두리번두리번 정신이 없다는 뜻이기도 하다. 조수석에 앉아서도 눈에 담기는 모든 풍경을 그냥 놔주기 싫다는 듯, 이리저리 고개를 돌리며 그냥 지나친 곳을 아쉬운 마음으로 다시 쳐다보곤 한다.

'길'이라면 한 자부하던 내게 굴욕적인 사건이 일어났다. 어느 날 남편과 일을 보고 집으로 돌아가는 길에 차가 많이 막혔다. 나는 이번에도 내가 아는 길을 알려주었다. 내 말엔 꿈쩍도 안 하던 남편이 어쩐 일인지 내 말대로 순순히 핸들을 돌렸다. 길 막히는 게 답답했나? 웬일이래?

하지만 그 길은 내가 알던 길이 아니었다. 골목을 잘못 들어선 것이다. 내비게이션은 골목을 나가서 우리가 왔던 길로 돌아가라고 시끄럽게 울려대고 있었다.

"아는 길 아니었어? 돌아가서 시간만 더 걸리게 생겼잖아. 제대로 알지도 못하면서 왜 아는 척을 하는 건데?"

남편의 거친 목소리에 나는 아무 말도 하지 못했다.

'분명 이 길이 맞는데. 이상하다…'

20년 전 내가 알던 그 길이 아니었다. 새로운 길과 건물들이 곳곳에 생겼지만, 나의 정보는 업데이트되지 않았던 것이다. 이날 이후로, 나는 살아있는 내비게이션의 전원을 꺼야만 했다.

조수석에 앉은 철 지난 내비게이션은 이제 조용히 풍경을 감상한다. 나만의 생각에 잠겨 지나는 곳을 바라본다. 아는 척하기보다는 운전자를 믿고, 그가 편하게 운전하도록 그냥 두는 게 오히려 돕는 일이란 걸 이제는 안다.

사실 운전석에 앉으면 지나는 풍경과 공간을 즐기고 기억하기가 어렵지 않을까 싶다. 나는 운전을 하지 않기에 주변을 온전히 관찰

하고 나의 것으로 만들 수 있다! 그러니 조수석의 특권을 앞으로도 맘껏 즐겨야겠다. 물론 입은 다문 채로.

다시 운전대를 잡은 이유

놀자

18개월 된 아이와 가족 동반 모임에 갔던 날. 자정이 넘어 집에 돌아가려던 참이었다. 운전해야 할 남편이 술을 마셨으니 평소라면 대리기사를 불렀을 것이다. 하지만 모임 장소에서 집까지는 차로 10분만 가면 되는 가까운 거리였다. 대리비가 아깝기도 하고 '설마 무슨 일이 있겠어?' 하는 안일한 생각도 들었다. 내가 운전대를 잡았다. 운전을 안 한 지 3년이 넘은 시점이었다.

고속도로 출구와 일반도로가 만나는 복잡한 지점을 지나야 했다. 오랜만의 운전이었고 밤이라서 그랬는지 그만 길을 헷갈렸다. 교차로를 지날 때 노란불이 빨간불로 바뀌었다. 그냥 가도 되나 서야 하나, 아주 잠시 머뭇거린 그 순간, 고속도로 출구에서 나오는 차와 "쾅!!!"하고 부딪쳤다.

빙글빙글… 차와 함께 세상이 몇 바퀴 돌았다. 안전띠를 했는데도 몸이 옆으로 크게 흔들리며 어깨와 가슴이 눌려 숨이 '헉'하고 막혔다. 그 와중에도 운전대를 놓치면 더 큰 사고가 날 것 같아 핸들을 꼭 잡고 놓지 않으려 애썼다. 아이를 카시트에 앉히지 않고 남편이 안고 탔는데 다치지는 않았는지, 자동차 보험 적용이 나는 안 된다고 했던 것 같은데, 하는 생각이 스치고 지나갔다.

차가 멈추자마자 조수석부터 살폈다. 아이는 무사해 보였지만 대시보드에 머리를 부딪힌 남편의 머리에서 피가 주르륵 흘렀다. 남편이 머리를 짚으며 "일단 저 차 운전자한테 가봐."라고 하길래 허둥지둥 내려서 상대 운전자에게 갔다. 그 역시 무릎을 잡고 고통스러워하고 있었다. 얼른 119에 신고했다.

구급차는 금방 도착했다. 구급차의 사이렌 소리와 경찰차 경광등이 번쩍거려 혼이 쏙 빠지고 정신이 하나도 없었다. 우리 차 옆구리가 상대 차에 받혀 두 차 모두 많이 구겨져 있었다. 잘 모르는 내가 봐도 우리 차는 회생 불가능해 보였다. 차 상태에 비하면 세 식구의 부상이 가볍다 느껴질 정도였다.

구급차 2대에 나눠타고 근처 대학병원 응급실로 갔다. 너무 놀란 아이는 나에게 안겨 옷을 꽉 움켜잡기만 할 뿐 울지도 않았다. 어깨부터 가슴까지 통증이 있었지만, 다친 곳은 없었고 아이도 무사했다. 남편은 이마 위쪽으로 찢어져 꿰맨 것 말고는 괜찮았다. 상대 운전자도 응급처치를 받고 걸어서 멀쩡한 모습으로 귀가했다. 내게 걱정 말라는 위로의 말까지 건네면서.

하지만 사고를 낸 당사자인 나는 계속 넋이 나가 있었다. 의료진의 얘기를 한 번에 알아듣지 못해 거듭 확인했고, 경찰의 질문에도 자꾸 더듬거렸다. 남편은 치료를 받는 중이라 누구도 나를 대신 해 줄 수 없었다. 온몸이 계속 떨리고 가슴이 불안하게 뛰었다. 겨우겨우 정신줄을 붙들었다. 자동차 보험은 아니나 다를까, 내가 운전자 범위에 포함되어 있지 않아 보험처리가 안 된다고 했다. 경찰은 응급실에서 상황을 지켜보다 내일 조사를 받으러 오라는 말을 남기고 떠났다.

다음날 경찰서로 가는 택시 안에서 내가 큰 죄인이 된 것 같아 잔뜩 긴장되었다. 경찰의 질문에 사실대로 대답하고 최대한 성실히 조사받았다. 상대 운전자와 원만히 합의하면 벌금형으로 마무리될 것이라고 했다. 모든 조사가 끝난 후 잠시 기다리는 시간이 있었다. 그제야 옆자리에서 또 다른 교통사고로 조사를 받는 사람의 말이 들려왔다. 어제 음주운전으로 터널 입구를 들이받고 사망한 사람과 같은 술자리에 있던 사람이었다. 그들의 말을 들으며 소름이 돋았다. 나도 잘못 했다간 상대 운전자는 물론이고 가족들까지도 크게 다치고 사망에 이르게 할 수도 있었다는 생각이 들었기 때문이다.

합의는 쉽지 않았다. 보험처리가 안 되니 우리가 직접 상대 운전자와 만나 합의를 봐야 했는데 터무니없는 합의금을 요구했다. 응급실에서 치료받고 나갈 때는 멀쩡해 보였는데, 며칠 만에 무릎에 물이 차 많이 아프다고 했다. 차도 폐차해야 한다며 천만 원을 요구했다. 내가 보기엔, 앞부분만 수리하면 운행이 가능할 것 같았는데.

임신하며 나는 일을 그만두었고 입사한 지 몇 년 되지 않는 남편이 혼자 벌고 있으니 경제 사정이야 뻔했다. 갑자기 그 돈을 어디서 마련해야 할지 막막했다. 결국 남편이 찾아가 무릎까지 꿇으며 사정했다. 얼마나 간절히 하소연했는지 다행히 300만 원에 합의를 봤다.

이런 일을 겪고 나니 운전대를 잡기가 무서워졌다. 주변 지인들은 지금 무서워서 운전을 안 하면 앞으로 점점 더 운전하기 어려울 거라며 이겨내고 다시 해보라고 조언했다. 하지만 내겐 이겨내는 수준이 아니었다. 그때의 사고 장면과 누군가 죽을 수도 있었다는 아찔한 사실이 계속 머릿속을 맴돌아 운전대를 잡는 생각만 해도 겁이 났다. 등골이 오싹해지고 온몸의 털이 쭈뼛쭈뼛 서는 것 같았다.

이후 아이를 키우면서 운전하면 편하겠다 싶은 순간들이 많았지만, 하지 않았다. 병원이나 문화센터를 다닐 때도 아쉬웠다. 시간이 오래 걸리고 힘들어도 대중교통을 이용했다. 대중교통이 너무 불편한 곳이면 포기하거나 주말에 남편에게 부탁했다. 앞으로 나에게 운전할 일은 절대 없을 거로 생각했다.

10년 넘게 시간이 흐른 뒤 전래놀이 강사로 아이들 앞에 서는 일을 시작하게 되었다. 어릴 때부터 선생님이 되고 싶었는데 이제야 그 꿈을 이룬 것이다. 동생들의 대학 진학을 위해 부모님은 맏이인 내가 상업고등학교에 진학하길 원했다. 순응했지만 속으론 원망이 쌓였다. 결혼 후 그 꿈을 이루려 늦은 나이에 학교에 입학했다. 보육교사 자격증과 전래 놀이 강사 자격증을 취득하며 초등학교에 강사로 취직한 날, 원하는 걸 해냈다는 생각에 가슴이 두근댔다.

하고 싶은 일을 하게 되어 기쁨이 컸지만, 고민도 따랐다. 수업엔

교구가 많이 필요했다. 비석치기 수업을 하더라도 성인 손바닥만 한 커다란 비석을 학생 수에 맞게 최소 30개는 가지고 다녀야 했다. 부피와 무게가 만만치 않은 이 짐들을 이고 지고 이동할 일이 난감했다.

'운전을 다시 해볼까.'

연습 삼아 핸들을 잡으니 다시 식은땀이 나고 몸이 덜덜 떨렸다. 깨끗이 포기했다. 커다란 백팩에 무거운 짐은 짊어지고 가벼운 짐은 양손에 바리바리 들고 버스며 지하철, 택시 등 그때그때 사정에 따라 이용했다. 짐을 들고 대중교통을 이용하는 건 무척 불편했지만, 일주일에 3일, 그것도 낮에 두세 시간만 수업하면 되니 감당할 수 있었고 저질인 내 체력으로도 버틸 만했다.

2020년 코로나로 한창 어수선하던 시기, 돌봄이 필요한 아이들이 많아지면서 오전수업 의뢰까지 들어왔다. 일주일 내내 오전은 이 학교, 오후엔 저 학교로 바쁘게 다녀야 했다. 챙겨야 할 짐은 많아지고, 체력도, 오가는 시간도 점점 버거워지기 시작했다.

내 일에 애정이 좀 덜했다면 일주일이 꽉 차도록 수업을 잡지 않았을 텐데, 나는 일이 정말 하고 싶었고 욕심이 났다. 그래서 어쩔 수 없이 운전을 다시 해보기로 했다. 차는 평일엔 쉬고 있으니 새로 장만할 필요는 없었다. 남편이 걱정스러워하며 도로 연수를 해주었다. 주말을 이용해 집에서 근무하는 학교로, 거기서 또 다른 학교로, 몇 차례나 오가며 이동 경로를 익혔다.

연수하는 내내 남편의 타박과 질타를 받으면서도 내 일을 계속하려면 운전을 꼭 해야 했기에 목구멍으로 넘어오려는 화를 꾹꾹 눌러 담으며 참았다.

드디어 혼자 학교에 가야 하는 날. 전날부터 잠을 설쳤다. 남편은 겁먹은 나를 걱정하며 학교까지 동행해 주었다. 잔뜩 긴장하며 시동을 켜고 액셀을 밟는데도 식은땀이 났다. 있는 데로 신경을 곤두세우고 학교로 향했다. 여러 번 주행 연습했는데도 긴장이 됐고 심장이 쿵쿵 뛰는 게 느껴질 정도였다. 주차까지 마치고 나니 "휴~" 하는 안도의 한숨이 저절로 나왔다. 그날을 시작으로, 나의 운전 트라우마는 어렵고 힘들지만 조금씩 극복하게 되었다.

운전을 다시 하게 된 지 4년이 지났어도 아직 초보인 것 같다. 주차도 서툴고 초행길에선 여전히 긴장한다. 고속도로를 이용해 먼 거리를 가본 적도 없다. 예측 출발로 앞차를 "콕" 박은 적도 있고, 상대 운전자의 과실로 사이드미러가 부러지고 자동차 앞부분이 찌그러진 사고를 당해 한동안 한의원 신세를 지기도 했다.

그래도 운전을 그만둬야겠다는 생각은 안 했다. 이제는 일할 때뿐만 아니라 마트나 다른 장소로 이동할 때도 차가 없으면 불편하기 때문이다. 그때 운전을 다시 시작하지 않았다면 수업을 다 감당하지 못했을 것이다. 무엇보다 내 체력이 견딜 수 없었겠지. 운전을 다시 시작했기에 나는 일을 포기하지 않았고 일을 더 많이 하며 강사로서의 역량을 넓혀갈 수 있었다. 무겁거나 부피가 큰 교구도 마음껏 이용할 수 있으니 놀이 종류도 더 다양해지고 여러 가지 색다른 놀이를 시도할 수도 있었다.

운전은 내가 꿈꾸던 일을 계속할 수 있게 해줬고 여러 학교에서 찾는 나름 인기 강사가 되는 데 아주 큰 도움을 준 것이 분명하다. 운전으로 지금 나는 또 다른 인생을 살고 있다.

10년 만에 다시 잡은 운전대

박상희

운전 연수를 신청했다. 면허를 딴지 10년 만의 일이다. 면허를 따고서도 내가 운전을 하는 일은 없을 거라 생각했다. 대중교통을 이용하는 게 그리 불편하지 않았고, 한 시간 정도 거리는 그냥 걸어 다니는 걸 좋아했기 때문이다. 직접 운전하는 것보다 택시를 타는 것이 더 편하고 안전하며 경제적이라는 가족들의 말이 맞다고도 생각했다. 집 밖을 돌아다니는 것보다 집 안에서 보내는 시간을 더 좋아하는 성격도 운전하지 않는 데 한몫했다.

그러다 올 초에 큰아이가 집에서 조금 떨어진 고등학교에 입학했다. 자가용으로 가면 학교까지 10분에서 15분이면 도착하지만, 버스로는 넉넉히 한 시간을 잡아야 갈 수 있는 거리다. 아이가 이용 가능한 대중교통은 17번 버스 단 하나밖에 없다. 게다가 배차시간이 15분에서 20분으로 길어서 아침에 버스를 한 대 놓치면 지각할 수도 있다는 생각에 걱정이 되었다.

업무와 주거가 공존하는 비즈니스 타운으로 만들겠다며 호기롭게 주민을 받고 개발했던 지역임에도 불구하고 국제도시라는 명칭이 무색하게 대중교통이 불편하다고 느끼던 참이었는데 막상 아이의 학교 등교 문제가 걸리자 불만이 머리끝까지 올라오기 시작했다. 마음 같아서는 아침마다 학교까지 데려다주면 좋겠다 싶었지만, 남편의 출근길은 아이의 학교와 반대 방향이고 나는 운전을 하지 못하니 어쩔 수가 없었다.

다행히 입학 전, 지역의 맘 카페에서 같은 학교에 배정받고 나서 통학 문제로 고민을 하는 엄마들을 만나게 되었다. 의견을 모아 아침 통학을 도와줄 수 있는 셔틀버스 기사님을 수소문했고 운 좋게 동네에 사는 친구들 20명을 모아서 등교 시간에만 셔틀버스를 이용할 수 있게 되었다. 오전에는 어린이집, 오후에는 학원버스를 운행하는 기사님이 어린이집으로 출근하기 전 아침 시간을 활용하여 고등학생의 통학 지원을 해주시기로 한 것이다. 셔틀버스 비용은 한 달에 5만 원. 청소년 버스 요금에 비해 2.5배 비쌌지만, 버스를 기다려야 하는 수고로움을 겪지 않아 다행이라고 생각했다.

그렇게 셔틀버스를 타고 다니던 어느 날, 아이에게서 전화가 왔다.

“엄마, 나 지금 아시아드경기장 지나서 청라로 들어가는 도로에 있는데 택시 불러 줄 수 있어?”

시계를 보니 8시 10분. 7시 30분에서 나갔으니 이미 학교에 도착해 있어야 할 시간이다. 심장이 덜컥 내려앉았다.

'왜 아이가 학교가 아니라 집 쪽으로 돌아온 거지? 아침이라 택시 잡기도 힘들 텐데 어떻게 해야 하지? 버스를 타려면 10분 정도 걸어야 하는데? 버스가 제시간에 올까? 이러다 학교에 지각하면 어떻게 하지?'

여러 생각이 휘몰아치며 머리가 복잡해졌다. 무슨 상황인지는 몰라도, 내가 운전할 수 있었다면 얼른 아이 곁으로 달려가 안전하게 학교에 데려다줄 수 있을 텐데 그러지 못해 속상했다. 운전을 할 수 있는 남편이라면 뭔가 대책이 있지 않을까? 나는 아이에게 "얼른 아빠에게 연락해 봐"라고 말한 뒤 전화를 끊었다.

아이에게 다시 전화를 걸어 상황이 어떻게 진행되고 있는지 이야기를 듣고 싶었지만, 오히려 방해가 되지 않을까 싶어 휴대폰만 손에 쥔 채, 아이와 남편의 전화번호만 쳐다보았다. 다행히 얼마 후 아이에게 학교에 무사히 등교했다는 문자 메시지를 받았다.

나중에 들어보니, 그날 아이는 셔틀버스 안에서 잠이 드는 바람에 학교에서 내리지 못하고 다시 집 방향으로 돌아오던 중 잠이 깼다고 한다. 기사님은 어린이집 차량 운행시간에 맞추어 가야 하기 때문에 다시 학교까지 데려다줄 수 없으니 택시를 타고 가라며 아이를 길가에 내려주었다. 우왕좌왕하고 있는 아이를 본 다른 통학 셔틀버스 기사님이 데려다주셔서 아이는 무사히 학교까지 도착할 수 있게 된 것이다.

차에서 잠이 든 아이가 안쓰럽기도 하고, 제때 일어나지 못한 것에 화도 났다. 셔틀버스 기사님이 학교 앞에서 아이들이 다 내렸는지 확인해 주었더라면 좋았을 텐데. 당황한 아이를 길 한복판에 덩그러니 떨궈놓다니, 야속한 마음이 들었다.

하지만 제일 크게 남은 건, 운전을 못 해 발만 동동 구르던 무능한 나에 대한 자책감이었다. 운전을 할 수 있었다면 아이가 30분이라도 더 잘 수 있고, 버스보다 편하고 빠르게 학교에 갈 수 있었을 것이다. 내가 너무나 한심해 보였다.

이런 내게 남편은 "언제까지 품 안의 자식처럼 보호만 해줄 수는 없지. 학교 가는 길에 고생도 해보고 어려움도 극복해 봐야지."라고 말한다. 친구는 "우리는 7시 30분까지 등교했는데 요즘 애들은 편하게 다니는 거지."라며 짐짓 위로해 주었다.

둘 다 모두 맞는 말이다. 하지만 다른 이유도 아닌, 내가 용기를 내면 해결할 수 있는 것을 못하고 있다는 자괴감이 나를 괴롭혔다. 그리고 이왕이면 아이에게 해줄 수 있는 것을 최대한 해주고 싶었다.

그래서 도로 연수를 신청하고 10시간의 연수를 받았다. 아직 누군가를 태우고 다니기엔 실력이 부족하다. 내년에는 다르지 않을까? 아이를 태우고 학교로 향하는 상상을 하며, 운전대 잡은 손에 힘을 주어 본다.

차가운 도로 위의 포근한 한마디

해바라기

석 달 만에 친정 부모님께 가는 날이다. 대중교통을 이용할 경우 인천에서 목포 근교의 친정집까지 일곱 차례나 환승해야 하고 대기 시간도 만만치 않다. 사십 후반에 들어서 삐걱대는 몸은 여독에 꼭 탈이 나곤 했다. 그렇다고 차를 가져가기도 쉽지는 않다. 도로 사정에 따라 최소 4시간에서 7시간을 감수해야 하니 매번 내려갈 때마다 교통편을 고민했다.

그날은 운전을 택했다. 두어 시간 일찍 퇴근해 길을 나서면 정체 시간을 피할 수 있으니 서둘러 출발해야 한다. 밤이 깊어지면 지팡이에 기댄 팔순의 내외가 가로등도 없는 길을 기어이 마중을 나오니 더욱 마음이 급해졌다.

이른 퇴근을 해보려고 아침부터 서둘렀는데, 계획과 달리 새치기 하는 신규 업무가 날을 잡은 양 유난히도 많았다. 질질 일 흘린다는 뒷말 듣기도 싫었고, 조기 퇴근도 당당하게 하고 싶어서 점심시간까지 반납했는데도 마무리는 생각보다 늦어졌다. 뛰다시피 계단을 내려와 운전대를 잡으니 혹시 놓친 일은 없는지 다시 걱정이 앞섰다. 책상 밑의 개인용 선풍기 전원을 껐는지도 확신이 없고, 보낼 자료들은 또 빠짐없이 전송은 했는지, 운전하는 몸과 달리 머릿속은 다시 사무실로 돌아가 있었다.

큰길로 나와 교차로 신호 대기에서야 핸드폰에 수북이 쌓인 문자를 확인했다. 몇 시간 동안 전화나 메신저만 받았고, 긴급으로 치면 문자는 뒷순위였다. 친구나 지인 건은 일단 패스, 업무 관련 우선으로 얼른 회신을 줘야 한다. 신호등이 초록 신호로 바뀌고 서행 출발을 했다.

"과장님, 이 규격 맞나요?"

잠시 문자 하나를 더 확인하는 순간 툭! 뭔가 가볍게 부딪힌 충격을 시작으로 '지지지지직' 철판 구겨지는 소리가 또렷하게 들려왔다. 멈추고 싶은 내 의지와 상관없이 몸은 아무런 행동을 취하지 않았고, 앞의 SUV 차량 밑으로 내 차가 조금씩 밀려들어 가고 있었다. 결국 차는 엔진룸 뚜껑의 절반을 구겨놓고서야 멈췄다.

큰일을 냈다는 느낌 외에는 생각과 몸이 정지 상태가 되었다. 누군가 창문을 두드려서야 정신이 들었다. 차 안에 있으면 위험하니 시동을 끄고 길 밖으로 나가 있으라 한다. 사고를 치고도 꼼짝도 않는 나를 향해, 앞 차의 중년 남자가 뒷목을 부여잡은 채 다가온다.

"많이 다치지 않으셨나요? 정말 죄송해요."

힘겹게 끄집어낸 내 말 따윈 들리지도 않았는지, "앞을 안 봤어요?!" 미간에 깊은 주름을 지으며 차갑게 쏴붙이고는 휙 돌아섰다. 앞차에서 세 명의 일행이 더 내렸고, 간간이 웃음소리도 들렸다.

도무지 다리에 힘이 들어가지 않아 8차선 대로변의 인도 턱에 주저앉고 말았다. 지나는 차들도 서행하며 고개를 돌려 사고 구경(?)을 하며 지나간다. 혼자인 나는 더더욱 움츠러들었다.

어쩌다 사고가 난 걸까. 아마 신호가 바뀌자마자 저만치 앞선 차에서 문제가 생겨 차례로 정차를 한 모양이다. 업무 문자를 확인하려던 나는 그 상황을 미처 파악하지 못 했다. 이제 막 출발한 터라 속도가 낮아 가벼운 접촉 사고로 끝났으면 그나마 괜찮았을 거다. 그런데 당황한 나머지 브레이크를 꽉 밟지 못해 남은 추진력으로 서서히 밀고 들어간 거였다. 빗물이 스며들던 노후한 경차에서 조금 큰 새 차로 바꾼 지 6개월밖에 안 되었다. 차는 소모품일 뿐 긁힘이나 찍힘 등은 개의치 않던 나도 새 차를 타니 바퀴에 낀 돌조차도 신경이 쓰였다. 반짝거리던 차가 돌발 상황 대처에 둔한 주인 때문에 꼴이 엉망이 되어 버렸다.

짓이겨진 전면 부를 돌아서 양쪽 전조등까지 부서지고, 보닛은 아코디언처럼 주름져 엔진룸의 까만 내부가 멀리서도 보였다. 모양은 폐차장에 가야 할 것 같았지만, 그나마 엔진 바로 앞에서 멈춰서 400만 원의 수리비로 차와 나의 동행은 계속될 수 있었다. 앞차는 작은 찌그러짐조차도 없어 보였다. 다행이었다. 대신 화기애애하던 4명이 모두 입원했다는 소식을 들었고, 너무들 하는구나 싶었다. 몇 년간 보험료가 오르겠지. 당장 사고처리 비용 부담은 없으니 정신건강을 위해 억울함은 꾹꾹 눌렀다. 크게 다친 자동차와 달리, 나는 사고를 친 놀란 가슴을 빼면 뻐근한 근육 경직 하나 없이 멀쩡했다.

'10년 무사고 경력자'라는 말은 사실 '사고 경력은 초보'란 뜻이다. 가입한 보험사도 어딘지 모르겠고, 떠오르는 건 매번 찾는 남편이었다. 이번에도 보험사와 경찰에 연락을 하는 등 일만 생기면 등 뒤에 숨는 나를 대신해 그이의 전화기가 바빴을 것이다. 부모님께도 시골 도착시간이 다 되어서야 못 내려간다는 소식을 겨우 전할 수 있었다. 지금쯤이면 충청도는 지나 군산은 왔을까나 하며 마음만은 서해안 고속도로를 달리셨을 텐데, 얼마나 서운하실까.

"엄마 못 가서 미안해. 다음 달 휴가에도 가고 바로 아버지 생신 때도 갈게."

"어찌케 먼 디를 이웃집 드나들 듯 댕긴다냐. 안 와도 암사토 안헝께 몸만 성해라 와"

딸이 못 온다는 소식에, 가뜩이나 처진 어깨가 더 내려앉을 생각을 하니 가슴이 아려왔다.

며칠 뒤 수리 마친 차가 왔는데 사고 흔적이 감쪽같이 지워져 무슨 일이 있었냐는 듯 더 반짝거렸다. 한동안은 남편에게 안전운전에 대한 잔소리를 들어야 했고, 사고 경험으로 신호와 규정 속도를 더욱 엄격히 지켰으며, 그날 나와 공범이었던 휴대전화는 차 안에서만큼은 숨을 죽인 채 가방 속에 갇히게 되었다.

같은 해 겨울. 바람도 없이 포근한 날, 탐스러운 함박눈이 내려 미소가 절로 지어졌다. 쌓이기 시작한 눈이 타이어 홈을 꽉 채웠고, 멀리 신호를 보고 밟은 브레이크가 듣지를 않아 그대로 미끄러졌다. 신호 대기 중인 큰 밴 차량의 뒤를 들이받고서야 겨우 멈출 수 있었다. 충격으로 역시나 굳어버린 내게 앞차 운전자가 다가왔다.

"괜찮으세요? 저는 괜찮아요. 누구에게나 일어날 수 있는 사고일 뿐입니다. 그래도 내 차를 받아서 다행이네요."

본인 차가 주먹만큼 눌렸다고는 해도 사고는 언제나 달갑지 않은 상황일 텐데, 오히려 놀란 나를 걱정해 주었다. 그랬다. 정차된 앞차가 없었다면, 좌우로 빠르게 차량이 통과하고 있는 교차로까지 난입했을 테고 그러면 어쩌면 여러 생명이... 생각만으로도 아찔했다.

앞차 운전자의 포근한 말 한마디에, 경직되어 뿌옇던 머릿속이 맑아지기 시작했다. 더디게 전화번호 목록을 뒤져 보험사에 사고 접수를 했다. 남편에게도 가벼운 접촉 사고가 났으며 보험처리도 끝냈다고 거짓을 보태어 안심도 시켰다. 사고도 경력이 붙었나 보다. 내 차만 이전 사고 못지않게 망가졌지만, 그 와중에 혼자서 큰 산 하나를 넘었다는 뿌듯함을 느꼈다. 자동차는 1주일을 치료를 받고 또 아무

일 없었다는 듯 본래의 모습으로 내게로 왔다.

속으로 골병이 들었을 자동차는 그 후로도 여덟 해 동안 든든하게 나를 실어 나르고 있고, 도로 위에서의 나는 끼어드는 차나 초보운전 차량에 기꺼이 양보한다. 내가 배려를 받았던 것처럼, 나의 작은 몸짓으로 누군가의 날 선 신경이 유연해지길 바라면서.

"엄마는 운전하는 게 재미있어요?"

몸짓으로

올해 고 2인 둘째 아들이 내가 운전하는 차를 타면서 물어보았다.

"엄마는 운전하는 게 재미있어요?"

나는 "글쎄"라고만 대답했다.

내가 선뜻 '그렇다'고 대답하지 않는 이유는 뭘까? 내가 운전하는 이유는 목적지에 기동성 있게 이동하기 위해서다. 어떤 때는 지방을 간 것도 아닌데 하루에 200km를 달린 적도 있다. 왔다 갔다 슝슝슝 여기찍고 저기찍고... 그 순간들이 나에게 나쁘지는 않았던 것 같다. 너무 힘들고 싫었다면 내 성격에 운전을 하지 않았을 것이다.

그동안 운전하면서 크고 작은 일들을 겪었다. 그중 가장 큰 일은 10년 전 일어난 사고였다.

운전을 시작한 지 12년이 지났을 때였다. 다음 날 있을 길거리 공연을 연습하기 위해 문학경기장에 갔다. 경기장 여기저기 헤매면서 알맞은 장소를 찾았다. 그런데 아무래도 마땅치 않아 다른 곳으로 이동하려던 중 갑자기 굉음이 울리면서 차가 빠르게 질주하는 것이었다. 당시 목격자의 말에 따르면 "마치 로켓이 움직이는 것 같았다"고 한다.

순간 내가 밟고 있는 것이 브레이크가 아니었나, 당황해하며 오른발로 브레이크와 엑셀을 왔다 갔다 했다. 그저 어찌하면 이 굉음과 질주를 멈출 수 있을까 하는 생각에 머릿속이 복잡했다. 브레이크와 엑셀은 아예 말을 듣지 않았다. 그래도 핸들로 방향을 바꿀 수는 있었다. 나는 정신을 차리고 방향을 바꿔 보려고 했다. 차는 경기장 출구 차단기를 뚫고 지나가 도로 한가운데에 들어서기 시작했다. 제발 차와 충돌하지 않기를 빌고 또 빌었다. 다행히 차는 '쿵'하고 인도변에 있는 작은 산 같은 곳에 부딪히며 질주를 멈추었다.

차에서는 연기가 나고 있었다. 나는 어찌할 바를 모르고 운전석에 앉아 있는데 한 청년이 다가와 문을 두드렸다.

"위험하니까 얼른 내리세요. 연기가 나서 차가 어떻게 될지 몰라요."

그제야 서둘러 차에서 내렸다. 사람들 몇몇이 걱정스러운 얼굴로 내게 다가왔다. 누군가 신고를 했는지, 잠시 후 경찰들이 왔다. 그들은 내게 음주측정기를 내밀었다. 술을 마시지 않았으니 걸리는 것도 없었다.

이 차는 일주일 전 새로 산 중고차였다. 주행거리가 이미 20만km가 넘어 찜찜했지만, 차가 멋있어서 홀딱 반해버렸다. 그리고 튼튼하기로 유명한 회사의 차라서 믿고 구매했다. 이런 일이 생길 줄은 상상도 못 했다.

충돌하면서 에어백이 터지고 차는 많이 망가져 폐차까지 해야 했다. 차에 비해 나는 크게 다치지 않았다. 얼굴에 약간의 상처가 났고 꼬리뼈 통증이 있을 뿐이었다. 더 다행인 건, 차가 다른 차들과 충돌하지 않고 다친 사람들이 없다는 점이었다. 지인들에게 "천만다행"이라는 말을 많이 들었다.

교통사고는 후유증을 조심해야 하니 며칠 입원해 상태를 보는 것도 좋았을 것이다. 하지만 그때 나는 편안히 며칠 입원을 할 수 있는 사정이 아니었다. 막내가 어린이집을 다닐 정도로 어렸기 때문이다. 그래서 병원 측에 사정을 이야기하고, 입원한 상태로 출퇴근과 다른 일들을 해야 했다

그리고 사고 당일 새로 중고차 거래소에 갔다. 몸이 아프거나 불편하지 않아, 마음에 드는 차를 직접 골랐다. 이번엔 주행거리가 3만km 정도인 차를 구입했다.

퇴원 후 처음으로 운전대를 잡는데, 잠깐 두려움이 앞섰다. 다행히 큰 사고로 이어지지 않아 트라우마도 크게 남지 않았는지, 금방 원래대로 돌아왔다.

그러고 보니 나는 운전하는 게 좋은가보다. 급발진이라는 큰일을 당하고 지금 이날까지 운전하는 걸 보면 그런 듯하다. 가끔 차가 막힐 때 답답함에 미쳐버릴 것 같기도 하고 매너 없는 운전자들 때문에 화가 나기도 한다. 그래도 내 차로 배우고 싶은 것들을 배우러 다니고, 좋아하는 사람들을 만나러 여기저기 다닐 수 있어 좋다. 차 안에서 맘껏 소리를 지르거나 노래를 부르기도 하고 때로 기분이 좋으면 춤도 춘다. 이 작은 공간이 점점 소중해지고, 이왕이면 제대로 운전하고 싶은 마음에 차에 대해 자세히 알고 싶어 한때 자동차 정비를 배울까도 했다. 나름 여기저기 알아보았으나 배울만한 곳도 마땅하지 않고 비용도 비싸 포기하고 말았다.

아이들과 차에서 나누는 대화는 진솔하다. 특히 첫째 아이가 강화에 있는 학교를 다닐 때, 데리러 오가며 나누었던 대화는 더욱 그러했다. 어느 날 아들이 "엄마 학교에 적응하는 게 너무 힘들어요."라며 울음을 터트렸다. 아이는 일반고 1학년 때 학폭 때문에 힘들어하다 2학년 때 다시 그 아이들을 마주하기 힘들어 전학을 갔다. 일반고와 다른 분위기의 학교라 적응하기 힘들었을 것이다. 혼자 끙끙 앓는 대신 나를 믿고 이야기해 준 아이가 고마웠다.

마주 보고 하는 대화는 쑥스러울 수도 있지만 앞을 바라보며 나누는 대화는 왠지 편해서 속마음을 털어놓게 된다. 일부러 대화의 자리를 마련하지 않아도 되니 얼마나 좋은가. 그래서 그 시간들이 나에게 정말 소중하다. 아이들이 언젠가 독립하게 되면 이런 대화를 나누기가 쉽지 않다는 걸 알기 때문에 더욱 그렇다.

다음에 아이가 또다시 나에게 운전하는 게 재밌냐고 물어본다면 나는 망설이지 않고 대답할 생각이다.

"응 괜찮아. 엄마는 여기저기 돌아다니는 거 좋아하는 사람인데 차가 있어서 슝슝슝 갈 수 있어 좋아. 그리고 이렇게 운전하면서 너희들과 대화도 하니 너무 좋아."

앞으로도 내 차와 함께하는 길이 즐거우면서도 안전하길 바란다.

언제 운전할래?

마이몽

“누나, 엄마 아빠 병원에 모시고 다니려면 빨리 운전 배워.”

“지연아, 네가 하고 싶은 거 할 때잖아. 운전이 필요하면 운전부터 시작해”

“질부, 친정에 눈치 안 보고 다니려면 운전해야 해.”

운전해야 할 이유는 말하지 않아도 너무도 잘 안다. 당장 불편을 겪는 사람은 바로 나다. 나도 운전이 하고 싶지만, 대중교통과 주변 가족들에게 의지하면서 다니다 보니 차일피일 미뤄만 왔다.

그런데 나의 기동력에 큰 몫을 해주던 남편이 5년 전 세종으로 내려가 일을 하게 되었다. 그 당시 초등학생인 아이 둘을 혼자서 돌봐야 하는 것이 걱정이 됐다. 그보다 더 큰 문제는 나의 기사를 자처했던 남편이 옆에 없다는 것이다. 갑자기 결정된 상황이라 내가 운전을 연습할 시간적 여유도 없었다. 그렇게 난 발이 묶였다. 물론 지하철과 버스를 이용하면 된다. 비용이 만만치 않지만, 택시도 있다.

코로나가 심각한 상황이 되었을 땐 엄마가 만들어 주신 반찬을 가지러 갈 수 없어 아빠가 집 앞까지 가져다주셨다. 내가 가면 부모님이 이런 수고를 하지 않으셔도 되는데 내가 괜히 못난 딸이 된 것 같았다. 친정에 갔을 때도 나를 집까지 데려다준다는 아빠와 괜찮다고 실랑이를 벌여야 했다. 그냥 못 이기는 척 타고 가도 되는데 나의 괜한 자격지심 때문에 아이들까지 힘들게 하는 일이 자꾸 생겼다. 방향이 맞지 않는 버스를 타고 시간만 허비하다가 결국은 택시를 타고 집에 돌아오는 일도 있었다. 시간은 시간대로 버리고, 아이들은 아이들대로 힘들다고 심통을 부리고 나도 이런 생활을 언제까지 해야 하는지 답답하기만 했다.

어느 날 막내 동생에게 하소연했다.

"나 불편해서 도저히 못 살겠다. 운전해야 할 것 같아."

그러자 동생은 그 말이 진짜냐며 몇 번을 되물었다. 다음 날엔 확인 전화까지 했다. 누나라고 해서 운전을 안 할 이유가 없다며, 정말 하고 싶은 마음만 있다면 중고차를 알아봐 준다고 했다. 내 힘으로 저지르진 못해도 동생이 도와준다면 나도 조금은 용기가 생길 것 같았다. 이참에 나도 굳게 마음먹고 시도해 보고 싶은 생각도 들었다.

평소 실행력이 좋은 동생에게 도움을 청하기는 했지만, 막상 차를 당장 살 수도 있다고 생각하니 가슴이 두근두근했다. 내가 미쳤나? 도대체 왜 한다고 했을까? 책임지지도 못할 말을 한 것은 아닐까? 동생 성격상 바로 차를 알아보고도 남을 텐데 다시 전화해서 생각 좀 해본다고 할까? 걱정은 앞서지만 이렇게라도 시작하지 않으면 평생 운전은 못 하고 살 것 같아 일단 하겠다고 큰소리쳤다. 아니나 다를까. 동생은 다음날 "누나 상황에선 스파크 정도가 좋을 것 같다"고 연락을 해왔다. 지인에게 적당한 차를 소개받았고, 심지어 찻값도 보태줄 테니 부담 없이 받으라고 했다. 나는 "내가 뭘 고를 처지겠냐"며 그냥 알아서 해달라고 했다. 그러면서도 내가 진짜 내 차가 생기는 것이 맞는지 몇 번이나 확인했다.

그렇게 전화를 끊으며 나도 모르게 눈물이 핑 돌았다. 그동안 마음에만 간직하고 있던, 꿈에 그리던 내 차를 갖게 된다는 것이 믿기지도 않았다. 옆에서 늘 응원해 주고 내가 하지 못하는 일을 하도록 도와준 동생이 정말 고마웠다.

며칠 뒤 동생은 자기 집에 내 차를 가져왔다고 했다. "누나가 면허가 있으니 정말 다행이다. 면허까지 따야 하는 상황이라면 더 어려웠을 텐데 장롱면허긴 해도 자격증이 있으니 바로 시작할 수 있는 거잖아."라며 나에게 힘을 실어 주었다.

동생은 우리 집으로 데리러 올 테니까 자기 차를 타고 가서 내 차를 가져다 놓자고 했다. 몇 년 전 아주 잠깐 남편 차로 운전을 배우려고 시도했다가 아파트 화단을 들이받아 차도 망가지고 화단까지 새로 해줘야 하는 일이 발생했다. 운전을 아예 접게 된 계기였다. 이전에도 이후로도 운전 경험은 거의 없다고 생각하면 된다. 이런 내가 어떻게 운전을 하지? 원체 겁 없고 한다면 하는 스타일의 동생에겐 별일 아닌 것 같지만 나에겐 엄청난 별일이 생긴 것이다.

귀엽고 아담한 몸체의 스파크가 지하 주차장에서 나를 맞이할 준비를 하고 있었다. 파스텔 톤의 은은한 핑크 색깔이 내 맘에 꼭 들었다. 연식은 오래되었지만, 중고차라고 하기가 무색할 만큼 새 차나 다름없이 깨끗하게 잘 관리된 차였다. 동생이 선팅도 새로 해주고 매트며 블랙박스까지 다 설치해 주었다. 하지만 이런 감격의 설렘도 잠시일 뿐 중요한 건 나 혼자 집까지 차를 가져가야 한다는 것이다.

처음엔 동생이 옆자리에 탔다. 동생이 길을 다 안내하고 나는 그냥 핸들만 잡았다. 솔직히 내비게이션도 보지 못 했다. 동생은 "누나 운전할 줄 아네. 이제 누나 혼자 가도 되겠는데."라며 차에서 내리려고 했다.

"뭐라고? 말도 안 돼. 한 번만 더 갔다가 오자."

"뭐하러. 이 정도면 잘하는데. 아까 온 길로 그대로 가면 돼. 그냥 하면 돼."

차도 사주고 내가 운전을 할 수 있도록 이토록 애써준 동생한테 더 부탁하는 것도 예의는 아닌 것 같았다. 무섭고 불안했지만 더는 염치없는 누나가 되고 싶지 않았다. 혼자서 가보겠다며 운전대에 앉긴 앉았는데 동생이 내리니 좀 전에 갔던 길인데도 전혀 새로운 길처럼 보였다. 자전거 배울 때 뒤에서 밀어주던 사람이 손을 놓은 것 같아 혼자서 어찌할 바를 몰랐다.

첫 번째 좌회전 차선을 못 타 직진하면서 아까 동생과 연습한 길에서 이미 멀어졌다. 내비게이션은 친절하게 길을 안내하고 있지만, 그 길이 내 눈에는 도무지 보이지 않았다. 남편이 운전하는 차의 조수석에 앉을 때도 운전은 내 영역이 아니려니 싶어 운전에 전혀 관여를 안 했다. 그 덕에 우리 부부는 운전하면서 싸울 일은 없었다. 이젠 그마저 후회가 되었다. 이럴 줄 알았으면 내비게이션 보는 법이라도 익혀두고 길이라도 잘 봐둘 걸...

이제 와 후회한들 무엇하랴. 일단 집에 가야 하는 막중한 일이 남아있다. 내 차 뒤에서 빵빵대는 소리는 이미 여러 번 들었고 차선을 변경하려 했다가 저 멀리에서 차가 오는 게 보이면 겁이 나서 다시 핸들을 틀었다. 30분이면 충분히 올 거리를 거의 한 시간은 걸려서 집에 도착했다. 어떻게 왔는지 생각도 안 났다. 그저 집에 왔다는 것만으로도 안도의 한숨을 내쉴 뿐이었다. 주차하는 법도 잘 몰랐기에 그저 선 안에만 들어가게 하자는 마음으로 차를 댔다. 그것도 넓은 주차 공간이었으니 가능했다.

그러고 보면 동생도 참 용감하다. 누나가 차를 끌고 가는 동안 도로에서 어떤 추태를 부렸는지 아마 상상도 못 할 것이다. 차에는 초보운전이란 표시가 없었지만 누가 봐도 초보자인 줄 알았을 것이다. 수시로 브레이크를 밟았고 내 차선이 어딘지도 구별이 안 되어 좌회전하면서 남의 차선으로 침범하며 돌았으니 그야말로 도로 위의 무법자가 따로 없었다. 시속 30킬로 미만으로 핸들에 매달려 앞만 보며 집에 오는 동안 온몸에 진땀이 났다. 손이 부들부들 떨리고 심장소리가 내 귀에서 떠나질 않았다.

어찌 되었든 난 다시 운전자가 되었다.

주말에 남편이 왔다. 내차도 보여주고 함께 도로에 나가 연습할 마음에 들 떠 있었다.

“어때? 이게 내차야~ 괜찮지?”

야심 차게 차 키 버튼을 눌렀다. 그런데 왜 안 열리지? 키를 넣어

수동으로 열어 보아도 키가 돌아가지도 않고 도무지 열릴 기미가 없었다. 뭐가 문제일까. 벌써 고장 난 건가? 처음 차를 가져와서 주차해 놓은 뒤로 남편이 올 때까지 한 번도 운전하지 않았는데 이게 무슨 일일까.

남편은 아무래도 방전이 된 것 같다고 했다. 남편은 바로 보험회사에 연락했고 10분 이내로 달려온 회사 직원은 내가 미등을 끄지 않은 것 같다고 했다. 이 상태라면 또 방전될 확률이 높다며 배터리를 교체하길 권했다. 스파크가 배터리 용량이 작은 편이라서 꼭 미등을 꺼야 하고 되도록 블랙박스도 사용 안 할 때는 꺼두는 것이 좋다고 했다. 차에 대해서도 배울 게 이렇게나 많다니. 앞으로 갈 길이 멀고도 멀다.

평소에 겁 많고 운전 배우기를 싫어했던 나를 너무도 잘 알고 있는 남편이라 어느 정도 짐작은 했을 거다. 내가 운전하는 모습을 보더니 "내 정신 건강을 위해 당신한테 운전을 가르쳐주는 것은 안 해야겠다"며 한숨을 쉬었다.

내게 싫은 소리도 잘 안 하고 화도 안 내고 무던한 성격인데 이 정도로 말한다는 건 내가 얼마나 심각한 상태라는 걸까. 앞으로 이 난국을 어떻게 이겨나갈 수 있을까?

나는 운전자다

마이몽

내게도 차가 생겼다. 20년 차 장롱면허로 살아왔는데 이제부터 실전이다. 사람들은 한결같이 "하다 보면 익숙해지니 무조건 도로로 나가라"고 했다. 어떻게든 차를 끌고 나가야 한다는 것은 알지만, 열정이나 의지로 될 일이 아니다. 운전을 잘하는 사람들은 어쩜 이리도 쉽게 별거 아니라고 말하는 건지 모르겠다.

아들은 걸어서는 20분 정도지만 버스를 타기엔 애매한 거리의 중학교에 다닌다. 그래서 나의 첫 번째 목적지로 아들의 학교를 가기로 했다. 주말에 남편과 대여섯 번 학교를 오가며 길을 익혔다.

드디어 처음으로 아들을 옆자리에 태웠다. 한산하던 주말과 달리 월요일 아침엔 차도 많고 길도 막혔다. 평소보다 빠른 시간에 집을 나섰는데도 제 시간에 내려 줄 수 있을지 의문이었다.

이런 엄마 마음도 모른 채 아들은 “엄마, 힙합 음악 들으며 가도 될까?”라고 묻는다.

“이 녀석아, 무슨 소리니. 안 그래도 정신없어 죽겠는데…. 힙합은 커녕 라디오도 못 켜고 가고 있다.”

혼자 맞부딪친 도로는 완전 새로운 길처럼 느껴졌다. 내 뒤에선 수시로 경적이 울렸다. 분명 나한테 누르는 것 같긴 한데 난 무슨 잘못을 한 걸까?

아들을 학교에 겨우 내려다 준 후 또 한참을 돌아 집까지 왔다. 차를 무작정 끌고 나가는 것이 능사는 아닌 것 같았다. 다시 운전 공부를 시작했다. 먼저 도서관에 가서 초보 운전자를 위한 책들을 빌려오고 유튜브 채널도 구독했다. 좌회전하는 법, 차선 변경하기, 신호 보는 법, 주차하는 요령 등을 반복해서 보았다. 이렇게라도 하니 당장은 운전을 못 해도 뭔가 노력하고 있다는 생각에 마음이 놓였다.

차를 산후로 친구와 동생들은 자주 운전 소식 물어왔다. 내가 책으로 운전을 공부하고 있다는 말에 모두 어이없어 했다. 운전은 운전으로 배워야지 책은 왜 보냐며 그 시간에 한 번 더 나가서 운전 연습을 하라고 다들 성화였다.

나도 안다. 내가 김연아 선수의 경기 영상을 천 번을 본들 스케이트를 타고 회전이나 점프를 할 수 있겠는가? 운전은 눈과 머리로 하는 것이 아니라 몸으로 배워 체득해야 한다는 것은 너무도 잘 안다. 하지만 용기가.. 아직은 부족하다. 공부는 안 하면서 공부 잘하고 싶다고 말로만 하는 학생처럼 매일 운전해야 한다고만 떠들고 실제로는 할 마음도 없는 사람처럼 군다. 차만 사면 어떻게든 운전할 줄 알았다. 저지르면 다 되는 줄 알았지만, 역시 마음만으로 되는 것은 아니었다.

첫째 동생에게 하소연하듯이 나의 운전 일대기를 말하는 와중에 "누나가 그렇게 스트레스 받고 못 할 것 같으면 다시 차를 파는 것도 방법이니 잘 생각해 봐"라고 했다. "뭐라고?" 내 귀를 의심했다. 차 산 지 얼마나 되었다고 다시 차를 팔라니…. 오죽하면 차를 사준 막냇동생도 형 말이 아주 틀린 건 아니라며 파는 것도 진지하게 생각해 보라고 했다. 이런 주변 사람들의 반응에 나 자신이 점점 초라해졌다. 남들은 쉽게 하는 것 같은 운전이 오직 나에겐 오르지 못할 산처럼 버겁게만 느껴졌다.

난 정말 안되는 걸까? 진짜 다시 차를 팔아야 하나? 자꾸 못한다 생각하니 안 되는 것 같기도 했다. 운전을 해도 안 해도, 왜 난 작아지기만 할까? 이쯤 되니 자존심도 상하기도 하고 남들 보란 듯이 잘하고 싶은 오기도 생겼다.

그때 운전의 늪에서 허덕이던 나를 구해준 구세주가 나타났다. 동생을 통해 내 이야기의 심각성을 느꼈는지 큰 올케가 운전을 가르쳐주겠다며 우리 집으로 달려온 것이다. 내가 괜찮다고 해도 막무가내로 나를 끌로 차로 향했다. 동생도 옆에서 올케를 말렸지만, 올케는 물러서지 않았다.

난 지푸라기라도 붙잡고 싶은 마음에 올케의 손을 덥석 잡고 운전대에 앉았다. 올케는 나처럼 왕초보 운전자를 가르칠 배짱이 어디서 생겼는지 모르겠다. 나의 절박한 마음을 알고 있기라도 한 듯 세상 가장 친절하고 자상한 선생님이 돼 주었다.

내가 30킬로로 속력을 못 내도 옆에서 “괜찮아요, 전 처음에 더 심했어요, 출퇴근 때마다 친정 아빠가 따라서 오셨고 욕도 엄청나게 먹었어요. 언니는 정말 잘하는 거예요.”라며 나를 안심시켜 주었다. 원래 타고 나길 운전 천재로 태어난 줄 알았는데 그게 아니라고? 베테랑 운전자의 올케에게도 그런 과거가 있다는 게 믿지기 않았다.

차선을 제대로 못 잡아도, 핸들을 흔들흔들 돌려도, 끼어들기를 못하고 머뭇거려도, 올케가 옆에서 버텨주었기에 당황하지 않고 운전에 집중할 수 있었다. 내가 실수해도 잘하고 있다고 용기를 주었고 차선만 똑바로 보고 가라며 나를 안심 시켜주었다. “괜찮다”는 말이 왜 그리도 위안이 되던지..

올케는 내내 싫은 소리 한 번 안 하고 내 옆에서 내비게이션이 되어 주고 세상에서 가장 다정한 연수를 받게 해주었다. 덕분에 잘은 못해도 천천히 한 번이라도 더 연습을 해봐야겠다는 마음을 갖게 되었다.

집에 돌아와 올케는 식구들 앞에서 "언니 운전 엄청나게 잘하니까 연수 안 받아도 돼. 이 정도로 잘하는데 무슨 연수야. 괜히 돈만 날리는 일이야"라고 큰 소리로 말했다. 이 말이 사실이 아닐지라도 동생과 남편 앞에서 괜히 으쓱해졌다.

올케의 말에 다들 의아해하는 눈치였다.

"이제 한두 번만 더 연습하면 될 거 같아요. 다음 주에 또 연습해요."
"아니야, 너도 힘든데…. 네 정신 건강도 생각해야지…."

웃으며 말했지만 내심 또 오겠다는 올케를 말리고 싶지 않았다. 올케 덕분에 적어도 친정집과 동생네는 혼자 왔다 갔다 할 수 있게 되었다.

차를 산 지 4년 정도 되었지만, 아직도 초보 운전자 스티커를 떼지 못 했다. 앞으로도 뗄 수 있을지 기약은 없다. 갈 수 있는 곳은 친정집과 동생네, 아이들 학교 정도로 몇 군데 되지 않는다. 주차는 적당히 외운 방법으로 두 자리 정도는 비어 있어야 간신히 대는 수준이다. 이제 시속은 30킬로는 벗어나 50에서 70킬로 정도까진 낼 수 있다. 아직도 운전을 안 할 수 있으면 되도록 안 하는 중이지만 내가 정말 가고 싶었던 친정을 혼자서 오갈 정도는 되었다. 여전히 지하철과 버스가 편하고 걸을 수 있으면 최대한 걸어 다니는 뚜벅이지만 그래도 차를 팔아야 할 정도는 아니다. 누가 뭐래도 난 운전을 할 수 있는 사람이 되었다. 아무튼, 난 운전자다.

3인 3색 드라이버

보랑

ep. 1. 그들의 딸

96학년도 수능이 끝났다. 단 한 번 시험으로 나의 학창 시절 성적표가 마무리된다고? 허무하기 짝이 없다. 학교에서건 집에서건 하지 말라는 거 안 하고 하라는 것만 열심히 하며 지내왔는데, 예상은 빗나가고 기대는 무너졌다. 인생 어차피 계획대로 잘 풀리지도 않는데, 성질이 난 김에 나도 이제 삐딱선을 좀 타야겠다 생각했다. 본고사고 논술이고 다 필요 없다. 글로만 하는 재미없는 공부 말고, 생활에 필요한 진짜 공부, 내가 지금 하고 싶은 그것은 바로 '운전'이었다.

'운전을 해야겠어!'

결정하고 나니 하루라도 더 빨리 면허를 따고 싶어졌다. 진학이나 생계, 혹은 다른 어떤 이유로 운전면허가 꼭 필요하다고 할 논리는 없었다. 다만 당시의 내 상황에서 비교적 쉽게 도전해서 성공할 가능성이 높은 자격증이 딱 운전면허였을 거다.

마음 같아선 앞뒤 재지 않고 냅다 지르고 볼 일이다. 하지만 면허를 따려면 많은 비용과 적잖은 시간이 필요했고, 부모님의 도움 없이는 안 될 일이었다. 이럴 줄 알았다면 용돈이라도 좀 모아둘걸. 특히 걱정되는 건 '돈이란 자고로 벌고, 아끼고, 저축하는 것'이라 여기던 엄마의 반응이었다. 평소 돈이 많이 들어가는 일을 좋아하지 않는 팍팍한 엄마가 과연 허락해 줄까? 졸업하고 취직부터 하고 난 뒤에 천천히 벌어서 따면 되지, 뭣 하러 벌써 그런데 돈을 쓰느냐고 쏘아대는 모습이 상상됐다. 그런데 엄마의 반응은 내 예상을 완전히 빗나갔다.

"그래 한 살이라도 어릴 때 일찍 따두면 좋지. 여보, 재 내일 퇴근할 때 문제집 한 권 사다 줘요. 학원은 필기시험에 합격한 다음에 다니면 되는 거지? 어디가 잘 가르치는지 알아봐야겠네."

어째서일까? 내가 운전면허를 딴다는 데 오히려 엄마가 더 신이 난 것처럼 보였다.

1995년 당시 인천의 면허시험장은 남동구에 딱 한 곳, 기능시험은 교통공단 면허시험장에서만 볼 수 있었기 때문에 시험장은 언제나 응시자들로 넘쳐났다. 빠른 면허 취득을 위해서는 철저한 계획과 계산이 필요했다. 제일 먼저 학교가 일찍 끝나는 수요일에 버스를 두 번 갈아타고 고잔동까지 갔다. 가장 먼저 할 일은 교통안전교육을 받는 것이다. 비교적 짧은 한 두 시간의 기본교육이 끝나고 난 다음 순서는 신체검사다. 시력도 좋았고, 운전하는데 부적합 판정을 받을만한 건강상의 문제도 없었으므로 역시나 가볍게 통과다.

곧바로 학과시험을 접수했다. 평소 자동차나 운전, 교통법규 등에 관심이 전혀 없었으므로 기출문제집 속엔 낯설고 어려운 용어들뿐이었다. 필기시험 날짜는 다가오고, 문제는 봐도 잘 모르겠고, 마음만 급해졌다. 이번엔 문제 유형이나 구경하고 다음 기수에 다시 봐야 하나 거의 포기하려던 참이었다. 일단 답만이라도 외우라는 경험자들의 이야기를 들었다. 문제는 건너뛰고, 정답에만 형광펜을 죽-죽- 그었다. 답만 반복해서 여러 번 읽고 외웠다. 다행히 학과시험 문제는 글자나, 보기 순서 정도만 바뀌어 거의 그대로 나왔다. 휴~ 여유 있는 점수로 학과시험은 통과다. 기분이 좋다!.

이어지는 도전은 기능 시험이다. 코스와 주행 두 가지로 나뉘는 실기는 코스시험에 먼저 합격해야만 주행시험까지 볼 수 있었다. 엄마가 미리 알아둔 운전학원에 서둘러 등록했다. 코스는 운전과 관련 된 장치들의 조작과 차로를 준수하는 것이 주요한 평가항목이라고 했다. 운전학원 강사들은 자기가 알려주는 족집게 공식만 고대로 따라 하면 된다고 했다. 기억나는 공식을 몇 가지 읊어 보자면, 'S자 코스에선 계속 백미러를 보면서 오른쪽 앞바퀴를 바닥라인과 10cm 간격으로 유지하며 운전한다.', 'T자 주차 시엔 처음 진입한 후 살살 차를 몰다가 어깨가 화단의 중간 정도에 걸칠 때쯤 핸들을 오른쪽 끝까지 한 바퀴 반 돌린다', '횡단보도 앞에 정차할 땐 보닛 맨 앞쪽을 흰색 보행 라인의 첫 선에 맞춰 서라. 그러면 자동차 바퀴는 자동으로 정지선 안쪽에 놓이게 된다' 등이다. 각 코스당 4~7가지 공식 순서에 맞추어 기어와 클러치를 조작해야 했다. 서툴거나 지체되면 강사에게 혼이 나고, 공식 순서를 잊어버리거나 수치계산이 잘 못 되어도 혼이 난다. '아니, 잘 못하니까 학원와서 배우지. 더럽고 치사해서 내가 면허 꼭 따고야 만다'고 다짐하기를 여러번 드디어 기능 훈련과 정신 무장이 끝났다. 준비 완료!

그러나 연습은 연습일 뿐, 학원에서는 제법 잘 되었던 것들이 실전에서는 너무나 긴장되고 어려웠다. '하...세상에 만만한 시험은 없구나... 그래도 S코스는 무사통과, 하지만 굴절 코스에서 감지선을 밟았는지 경고음이 울렸다. 감점이다. 온몸의 땀구멍이 활짝 열리며 등 뒤로 식은땀이 흐르는 게 느껴졌다. 다행히 T코스는 실수 없이 마쳤는지 감점에도 불구하고 주행시험 응시 기회를 얻을 수 있었다.

행운은 거기까지였을까. 주행시험까지 단번에 통과하는 드라마틱한 일은 일어나지 않았다. 당시 기능 시험용 자동차는 모두 오토매틱이 아닌 매뉴얼 조작이었다. 기어를 바꿔 변속하려면 클러치를 밟아야 했다. 발은 두 개뿐인데 엑셀, 브레이크, 클러치 세 가지를 구간과 신호에 맞춰 바꿔 밟으려니 머리 따로, 발 따로, 손 따로, 정신이 하나 없다. 긴장감을 이기지 못하니 몸은 더 경직되었다. 결국 돌발 구간과 경사로에서 연달아 큰 실수를 하고 말았다. 감지선 센서는 자비 없이 요란하게 울렸고, 오르막 구간에서는 차가 뒤로 살짝 밀리기도 했다. 팔다리가 후들후들대고 있는데 '○○-○○○번 불합격입니다. 하차 하십시오' 방송이 나왔다. 온몸에서 기운이 다 빠져나가다 못해 영혼까지 달아나는 것 같았다. 차에서 내려 대기장소로 돌아오는데 어찌나 창피하고 속상하던지.

다음 기수 주행시험에 접수해야 했는데, 인천시험장엔 대기자가 너무 많아 두 달 반 이상을 기다려야 했다. 엄마는 친한 지인의 딸이 안산 면허시험장에서 근무한다는 것을 기억해 내고는 곧바로 제일 빠르게 접수가 가능한 날짜를 물어봐 주었다. 운전면허 빨리 따보겠다고 안산까지 원정 시험을 갔다. 누가 들으면 운전이 매우 절박한 사람인가 생각했을지도 모르겠다.

조금은 극성맞았던 엄마의 정보력과 추진력 덕분에 여고 3학년 겨울, 나는 우리 반 최초로 운전면허증 소지자가 되었다. 일명 장롱

면허로 불리는 7개월간의 짧은 휴지기를 지나고, 주말에만 움직이던 아빠의 자동차를 몰아볼 수 있게 되었다. 운전을 하니 1시간 반이 넘게 걸리던 대학까지의 통학시간은 35분으로 줄었고, 거리가 꽤 먼 곳까지 아르바이트를 하러 갈 수도 있었다. 지금 나는 27년 경력의 베테랑 운전자다. 몇 시가 되었건, 어디가 되었건 내가 원한다면 어디든지 갈 수 있다. 운전을 할 때면 더욱 대담해져서 비좁은 길도 빠르게 잘 지나고, 평행 주차나 후진도 척척 잘한다.

24학년도 수능시험을 50일도 채 남기지 않은 지금은 팔찌(내 아들)가 19살이다. 나의 수능 성적표는 많이 아쉬웠지만, 팔찌는 다르길 바라본다. 그리고 수능을 무사히 마치고, 수시 입시까지 다 마무리되고 나면 나도 팔찌에게 운전면허 문제집을 한 권 사다 주련다. 시험장에도 데려다주고, 합격률이 좋은 운전연습 학원도 알아봐야지. 우리 엄마는 나와 같이 해보지 못했던 주행 연습도 같이 해보고 싶다.

내년 어느 회식 날엔 팔찌가 차를 몰고 나와 나를 집까지 모셔가는 기분 좋은 상상에 젖어 본다.

'팔찌, 이젠 네 차례다!

ep. 2. 그와 그녀

〈그〉 : 철도 공무원이었던 아빠는 순환근무 때문에 2~4년마다 지역을 바꾸어 장거리 출퇴근을 했다. 아빠의 이동 수단은 주로 전철과 지하철이었다. 집에 차가 없어서 그랬는지, 차로 다니기에 회사가 너무 멀어서 그랬는지 순서는 알 수 없다. 운전을 하는 대신에, 공무원증을 역무원에게 보여주고 개찰구를 통과하는 아빠가 어릴 적엔 좀 멋지다 생각도 했다.

내가 초등학교 3학년이 되었을 때, 먼 친척 어른이 오랫동안 타던 차를 우리 집에 물려주겠다고 했다. 엄마는 이런 기회를 놓치면 바보라고 아빠를 부추겼다. 그렇게 아빠는 40이 넘은 나이에 운전면허를 따게 되었다. 하지만 아빠의 운전은 많이 서툴렀고, 차는 평일이고 주말이고 집에 서 있는 날이 많았다. 쉬는 날이면 아빠는 이따금 혼자 차를 몰고 나가 시간을 보내다 들어왔는데, 아빠 차엔 크고 작은 생채기가 나기 일쑤였다.

매월 25일은 아빠의 월급날이다. 퇴근길 기분이 좋은 아빠는 우리가 좋아하는 과자나 사탕을 커다란 봉투 한가득 사 가지고 왔다. 더운 여름날엔 하드를, 추운 겨울날엔 군고구마를 옆구리에 끼고 오기도 했다.

월급날의 저녁 풍경은 아빠가 운전에 재미를 붙이고 나서 많이 바뀌었다. 간식을 사 오는 대신에 아빠 차를 타고 옆 동네 식당으로 외식을 하러 가게 된 것이다. 적어도 한 달에 한 번은 우리 집 차도 운행을 시작했다.

운전대를 잡은 아빠, 옆 좌석엔 엄마, 뒷자리엔 우리 네 자매가 꽉 차게 앉았다. 가좌 3동 우리 집을 출발해 15분쯤 달리면 바로 목적지인 충남 가든이다. 언뜻 보면 허름한 식당 같지만, 이 가정동 일대에선 제법 이름이 난 맛집이다. 본 건물 옆으로 임시 건물을 이어 확장했는데도, 저녁 시간에 딱 걸리면 대기번호를 받아야 할 정도로 손님이 많았다. 달달 짭짤 간장 양념 맛도 끝내주고, 부들부들 해서 입 안에서 살살 녹는 돼지갈비가 이 집 최고 인기 메뉴였다. 양도 정말이지 푸짐해서 가성비를 따져봐도 다른 식당을 찾을 이유가 없었다.

그날 저녁 역시 우리 자매들 모두 꼼짝 않고 아빠가 퇴근하기만을 기다렸다. 앞뒤로 노릇노릇 구워진 양념돼지갈비를 떠올리니 벌써부터 콧구멍이 벌렁이고 입안 여기저기서 침이 새어 나왔다. 서둘러 차에 타고 식당으로 향하던 길에 바로 그 일이 벌어지고야 말았다.

우리 아빠는 음... 뭐랄까 좋게 말하자면 매우 정적인 사람이다. 나는 그때까지 한 번도 아빠가 조기 축구회 모임을 하러 나간다거나, 당구를 친다거나, 밖에서 사람들과 어울려 어떤 스포츠라도 즐기는 걸 본 적이 없었다. 대신 집에서 LP로 올드팝을 듣거나, 신문을 읽거나, 혼자 거울 앞에서 아령을 드는 정도였다. 다시 말하자면 아빠는 운동을 좋아하는 활동적인 사람이 아니었고, 때문에 나는 아빠가 운동신경이 매우 둔할 편일라고 짐작했다. 신호를 잘 못 보고 지나치거나, 끼어들기를 못해 차선 변경을 하지 못하거나, 엉뚱한 길로 잘 못 들어 가까운 곳을 빙빙 돌아가거나 하는 일들이 그 증거다. 그때마다 엄마는 아빠의 운전 스타일을 많이 답답해했다. 옆에서 훈수를 두다 다투기도 여러 번이다. 물론 내가 엄마였더라도 그랬을 것이다.

평소보다 아빠의 퇴근이 늦어져서 모두 배가 고픈 저녁이었다. 식당이 붐빌까 봐 걱정도 되었다. 신호가 없는 고속도로 옆길을 달려 충남 가든에 가기로 했다. 편도인 좁은 도로도 신경 쓰였지만, 이 길의 진짜 난코스는 바로 가파른 언덕길을 올라 넘어야 하는 것이었다. 어째서 불길한 예감은 틀리지를 않는지... 아니나 다를까 아빠는 제때에 기어 변속을 하지 못해 언덕을 오르다 시동을 꺼트리고 말았다. 차가 천천히 뒤로 밀리기 시작했다. 아빠도 당황했는지 열쇠를 몇 번이고 비틀어 봤지만 '헐헐헐' 엔진 헛도는 소리만 들릴 뿐 바로 시동이 걸리지는 않았다. 차는 점점 더 빠르게 뒤로 미끄러지고 있었다.

'아... 이렇게 우리 모두 죽는구나'

나는 너무 무서웠다. 어떻게든 살아야 했다. 순간, 뒷자석에 앉은 우리의 무게를 앞쪽으로 보내면 뒤로 덜 밀리지 않을까 하는 생각이 들었다. 그래서 소리쳤다.

"야! 빨리 다 몸 앞으로 숙여, 빨리!"

나와 동생들은 일제히 엉덩이를 들고 몸을 앞으로 숙여 머리를 엄마 아빠가 앉은 자리 쪽으로 밀어 넣었다. 앞좌석 시트를 붙잡은 내 두 손은 부들부들 떨렸다. 심장이 미친 듯 뛰어댔다. 이대로면 뒤를 따르던 차와 부딪힐 게 뻔했다. 겁에 질려 눈도 못 뜨고 있었을 때, 다행히 아빠는 다시 시동을 걸었다. '죽다 살았다'라는 말은 바로 이럴 때 쓰는 게 아닌가 싶었다.

무사히 언덕을 넘어 식당에 도착했지만, 그날의 갈비 맛에 대한 기억은 희미하다. 엄마는 화가 났고, 아빠는 자존심이 상했다. 우리들은 양쪽 눈치를 동시에 살피느라 식사 시간 내내 고단했다. 겁에 질렸던 마음을 진정시킬 여유도, 투덜댈 힘도 없었다.

지금도 나는 아주 가끔 그 언덕길을 지난다. 운전 경력 27년 차의 여유로움으로 사뿐히 언덕을 넘으며 그날의 일을 떠올린다. 몸을 앞으로 숙인다고 차가 멈추거나 뒤로 밀리지 않을 리 없었다. 그래도 그때 나는 간절했다. 이제 80세를 가까이에 둔 아빠는 아직 운전을 하신다. 물론 지금은 자동 기어 엔진 자동차를 몰기 때문에 시동을 꺼트리거나 하는 일은 없다. 아빠의 운전 실력은 좀 나아지셨냐고? 뭐 눈물 젖은 양념갈비를 먹던 그날과 비교하면 많이 나아지셨지만, 웬만하면 난 아빠 차를 타지 않으려고 한다. 여전히 지나치게 조심스럽고 답답한 아빠의 운전대 잡은 모습을 상상하며 혼자 피식 웃어 본다.

〈그녀〉 : 엄마는 중학생이었던 시절 할머니, 할아버지와 차례로 이별했다고 했다. 고등학교에 진학하는 대신에 태림 섬유라는 공장에 취직했고, 부모님을 대신해서 남동생의 학비를 책임져야만 했다. 월급날이면 유행하는 옷을 사 입고, 화장품 사서 예쁘게 치장하고, 친구들과 어울려 맛있는 거 먹으러 다니는 또래들과는 달랐다. 힘들게 번 돈인데 친구들은 왜 저렇게 쉽게 써 버릴까 이해가 되질 않았단다. 엄마는 돈 쓰는 재미보다 모으는 재미를 일찍이 알아버린 것이다. 열심히 일해 모으고, 아껴서 조금 더 모으는 것이 몸에 배어서일까. 내 기억 속 엄마는 늘 바쁘고, 억척스러우며, 치열하게 사는 사람이었다.

영양가 많은 좋은 음식 실컷 먹고, 화목한 가정에서 보살핌을 받으며 공부하는 일은 엄마에겐 다른 세상의 이야기였다. 힘든 공장 일도 많이 하고, 자식도 넷이나 낳은 데다가 몸조리도 제때 못 했다. 살림이 조금 나아진 후에도 엄마는 자기 몸을 잘 돌보지 않았다. 그

때문인지 40대 중반부터 류머티즘 관절염을 심하게 앓았다. 여기저기 뼈 마디마디가 다 붓고 틀어졌다. 아침이면 손가락을 구부리지도, 발가락을 움켜 걷기도 힘들었다. 통증이 너무 심한 날이었던 것 같다. 학교 갔다 돌아와서 방에 누워 잠이 들었는데 엄마가 우는소리가 들렸다. 너무 놀라서 뛰쳐나와 물으니 "너무 아프다." 딱 두 마디 하고 엄마는 이를 앙 물었다. 아픈 세월이 길어져 엄마는 직접 운전할 엄두를 내지 못 했다.

하지만 아빠가 운전하는 차를 함께 타는 일은 상당한 인내심이 필요했다. 공간감각이나 민첩성, 상황 판단력이나 센스... 그 어느 면을 보더라도 아빠의 운전 실력은 앞으로도 쉽게 늘지 않을 것 같았다. 엄마가 앉을 자리가 늘 비어있다는 이점은 있었으나, 버스를 타는 것보다 시간을 그렇게 많이 절약하는 것도 아니었다. 마음이 편안하지도 않았다. 내비게이션이 없던 시절이니 오히려 길을 잘못 들지는 않을까 조마조마할 때가 많았다. 성격 급한 엄마는 자꾸 아빠를 탓하거나 잔소리를 해댔고, 점잖은 아빠도 운전에 관해서는 조수석의 참견을 호락호락 받아주지 않았다.

사실 엄마도 처음부터 아예 운전을 포기했던 것은 아니다. 차가 필요할 때마다 아빠한테 부탁하는 일이 왜 피곤하지 않았을까. 등산도 잘하고, 댄스 스포츠 실력도 수준급이고, 눈치도 빠르고, 성격 호탕하고, 도전적인 성향의 엄마에겐 운전도 정말 잘 어울린다. 아마도 운전할 때 거침없는 나의 성격은 엄마에게서 왔는지도 모르겠다.

하지만 면허를 사람의 성격만 보고 내어주는 것은 아니니 엄마도 면허 취득을 위한 준비가 필요했다. 엄마의 학창 시절은 너무 짧았기에 오랜만의 공부가, 문제를 외우고 푸는 것이 재미있었다고 했다. 여기서 재미있다는 말은 결코 쉽다는 말이 아니다. 복작대는 집 안에서 조용히 공부할 시간을 만들기도 어려웠고, 몇 번을 읽어도 외워지기는 커녕 기억도 잘 나지 않았다. 7개월 동안 4번의 도전 끝에 드디어 필기시험에 합격하고 나서 엄마는 정말 기뻐했다.

실기시험을 준비하려고 학원을 며칠인가 다녔을 때였는데, 당시 엄마의 건강에 심각한 문제가 생겼다. 류머티즘 관절염과 퇴행성 관절염이 동시에 진행되어 통증이 심한 것은 둘째 치고, 구안와사라고 입이 돌아가는 중풍 증상이 나타난 것이다. 집안일에, 할머니 봉양에, 자식들 챙기며 시험공부까지 해내느라 엄마 몸의 면역체계가 다 무너져 내린 탓이었다. 피로와 스트레스가 가장 큰 원인이라고 했다.

의사선생님은 극심한 관절 통증 빈도가 점점 잦아지므로 운전은 절대로 해선 안 된다고 당부했다. 위험한 도로 상황 중에 통증이 찾아와 신체 반응을 적절히 하지 못하면 큰 사고가 일어날 수도 있기 때문이다. 아빠는 "아파 죽겠다면서 무슨 운전이냐"라며 엄마를 달래다, 화를 내다 했다.

고집을 계속 피울 수 없었던 엄마는 일단 치료에 좀 더 집중하기로 했다. 침을 맞아도, 약을 먹어도, 일을 쉬어도 입은 제 위치로 돌아오지 않았다. 아빠는 어디에서 전해 들었는지 메기 껍질이 구안와사에 효과가 좋다면서 징그러운 생선 껍질을 구해와서 엄마의 입가에 붙여 주기도 했다. 엄마가 말할 때 어색함이 느껴지지 않기까지는 몇 달의 시간이 필요했다. 소염진통제도 더 독한 걸로 먹고, 관절 주사도 주기적으로 맞으러 다녔다.

몸이 좀 나아지니 다시 운전면허 욕심이 난 엄마가 학원에 가겠다고 했다. 어렵게 필기시험을 통과하고 얻은 기회를 놓치고 싶지 않았던 거다. 아빠는 계속 말렸다. 아프다면서 운전 연습을 하고, 그러고 나면 더 아프다고 끙끙거리는 엄마를 가만히 두고 볼 수 없어 화도 내어 봤다. 하지만 좀처럼 합의가 되지 않았다.

눈물겨운 엄마의 운전면허 도전기는 아빠가 엄마의 시험 응시원서를 감추는 것으로 허무하게 끝이 났다. 전래동화 '선녀와 나뭇꾼'처럼 가슴 절절한 사랑 이야기로 들릴지 모르겠으나, 엄마에게는 두고두고 아빠를 원망하는 일이 되었다. 실제로 엄마는 당시 일주일이 다 되도록 아빠랑 말은커녕 눈빛 한 번 마주치지 않았었다. 선녀가 날개옷을 입고 다시 하늘을 날아 떠나갔던 것처럼, 엄마도 원서를 찾아 운전면허를 땄다면 어땠을까? 엄마가 원할 때 원하는 곳으로 자유롭게 다닐 수 있었겠지? 지금 내가 그러하듯 말이다.

그런 엄마의 '로맨스'인지 '한'인지 덕분에 우리 네 자매는 모두 또래들에 비해 일찍이 운전면허 소지자가 되었다.

'엄마 고마워요'

'아빠도 고마워요'

꼬마 과학자와 낚시 의자

길

12회차 수업 중 오늘이 세 번째 시간이다. 과천과학관에 전시 관람하러 왔다가 유아 과학 수업이 열리는 것을 알고 바로 신청했다. 오늘 수업은 동물들이 사는 환경에 대해 배우는 시간이었다. 아이들은 세계지도를 펼쳐 사자, 기린이 사는 곳과 펭귄, 북극곰이 사는 곳에 스티커를 붙이려고 칠판 앞을 왔다 갔다 했다. 얼굴에는 웃음이 가득했다. 유치원이 끝나고 곧장 오느라 피곤할 법도 한데, 아이는 선생님과 친구들을 바라보며 이리저리 바쁘게 움직인다.

실험 과정이 포함된 수업은 아니지만, 아이들은 늘 실험실 가운을 입었다. 하얀 실험실 가운을 입은 아들 모습은 6살 꼬마 과학자의 모습이었다. 나는 아들이 연구실에서 실험하는 모습을 머릿속에 그리며, 진짜 과학자가 된 듯 행복한 착각에 빠졌다.

과학관에서 시간을 보내고 5시 30분 전후로 집으로 향한다. 지하철을 한 번 환승한 후 마을버스를 타야 한다. 그 시간대의 4호선은 퇴근하는 사람들로 발 디딜 틈이 없다. 지하철 승강장에 내려오면 기다렸다는 듯 아들의 눈꺼풀이 무겁게 내려앉는다.

"엄마 졸려. 지하철 오면 깨워줘."

아들은 지하철 승강장 의자에 누워 잠시 잠을 잔다.

"근호야, 지하철 왔어. 얼른 일어나. 엄마 손 잡고 지하철 타자."
"더 자고 싶은데... 앉을 자리도 없잖아. 엄마 졸려."

과학관에서 뛰어다니던 그 에너지는 어디로 간 걸까? 사람들 틈을 비집고 간신히 손잡이 봉을 잡을 곳에 자리를 잡았다. 아들의 몸은 늘어진다. 6살, 안기엔 너무 커버린 아들을 내 몸에 기대게 했지만, 아들은 계속 주저앉는다. 서 있을 틈도 없는데 자꾸 주저앉으니 어떻게 해야 할지 몰라 옆 사람들 눈치만 보게 된다. 아이도, 서 있는 사람들도, 모두 불편하지 않을 방법을 찾고 싶다. 나는 내 발 위에 아이를 앉힌다. 아이 머리를 한 손으로 잡고 다른 한 손으로는 손잡이를 잡는다. 흔들리는 지하철에서 내가 넘어지기라도 하면 큰일이기 때문이다. 아이는 몇 정거장을 그렇게 내 발 위에서 불편한 자세로 아무 표정 없이 선잠을 잔다.

아이가 흥미로운 경험을 많이 하길 바랐다. 그래서 선택한 곳이 과천과학관이었다. 앞으로 수업은 아홉 번이나 남았고, 아들을 계속 내 발 위에서 재울 수는 없다. 묘책이 없을까.

일주일 고민 끝에 떠오른 건 낚시 의자였다. 아이가 졸리다고 하면 바로 펼쳐서 앉히고, 나는 아이가 쓰러지지 않게 머리만 잡아주면 된다. 가방에 넣어 다니기도 편하다. 아이와 나의 고생을 덜 수 있는 획기적인 아이템이라는 생각에 뿌듯함을 느꼈다.

그런데 한편으론 이런 생각도 든다. 나는 왜 운전할 생각은 안 하고 낚시 의자만 떠올렸을까? 집에 있는 차는 남편이 끌고 다닌다. 두 대의 차를 굴릴 만큼 경제적으로 여유롭지 않았고, 운전 연수도 새로 받아야 하니 당장은 엄두가 나지 않았던 것 같다.

아홉 번째 간 수업에서 드디어 아이들이 실험 도구를 만지게 되었다. 스포이트와 비커로 용액을 옮겨 담으며 섞이는 과정을 실험했다. 이번엔 정말 과학자가 된 듯했다.

'그래 이것이 내가 원하던 수업이었어.'

탁자 위에 올려져 있는 실험 도구들을 보며, 내가 집에서 해주지 못하는 걸 이곳에서 하게 되었다는 생각에 만족감이 차올랐다. 작은 창문으로 아이의 수업을 바라보며 생각했다.

'얼마나 재미있을까?'

아이가 입은 가운이 오늘따라 더 하얗고 깨끗해 보였다.

그런데 이상하게도, 아이의 얼굴은 그리 신나 보이지 않았다. 수업이 끝난 후 아이에게 물었다.

"오늘 수업은 어땠어?"
"재미없었어."

나는 의아해하며 물었다. "왜?"

"같이 하는 친구가 자기만 하려고, 나한테 안 줬어."

아, 그래서 표정이 좋지 않았구나. 2인 1조로 실험 도구를 사용하게 하더니, 이런 일이 생긴 것이다. 6세 아이가 친구를 배려해 도구를 나눠 쓰는 게 어려운 일이란 걸 선생님들은 몰랐을까? 실험도구를 맘껏 쓰지 못한 아들은 뾰로통하게 입이 나와 있었다. 하지만 그것도 잠시, 친구들과 과학관 여기저기를 뛰어다니는 모습을 보니 벌써 실험실 안에서의 일은 잊어버린 것 같았다.

지하철역에 내려오니 여전히 4호선은 붐볐다. 하지만 나에겐 낚시 의자가 있다. 마치 나만의 자리를 미리 맡아 놓은 것처럼 아무 걱정 없이, 사람들로 가득 찬 지하철 안으로 들어갔다. 어김없이 아이의 눈은 감겼다.

"근호야, 여기 의자에 앉아서 가자."
"엄마 이건 뭐야? 의자야? 의자가 왜 이렇게 작아? 여기 앉아서 자면 돼?"

가방에서 낚시 의자를 꺼내자 아이는 신기해했고, 주변 사람들도 낚시 의자의 등장은 미처 예상을 못 했는지 의아한 눈빛으로 쳐다보았다. 아이가 편하다면 이런 시선쯤은 아무렇지 않다. 낚시 의자에 아이를 앉히고 양발로 의자를 잡고 양손으로 각각 아이의 머리와 지하철 손잡이를 잡았다. 아이는 알 수 없는 표정으로 낚시 의자 위에서 얕은 잠을 잤다.

12회차 과학관 수업이 어느덧 마무리되었다. 이후 아이는 다시 과학관에 가기보다 친구들과 더 놀기를 바랐다. 놀이터 미끄럼틀에서 차례를 기다리며 까르르 웃는 소리에 배낭 속 낚시 의자의 존재는 잊혔다.

나름 획기적이라고 생각했던 낚시 의자는 한 번밖에 사용하지 않았다. 몇 차례 자리를 양보받았고, 그럴 때면 고마움과 미안함이 함께 밀려왔다. 어떤 날엔 남편이 퇴근 후 데리러 올 때까지 과학관 밖에서 기다리기도 했다.

만약 내가 운전을 했다면 과학관 수업을 계속 다녔을까? 나는 아이가 놀이터에서 노는 모습보다는 하얀 가운을 입는 걸 더 보고 싶어했다. 그러니 얼른 차에 태워 과학관을 향했을지 모른다. 운전을 하지 않았기에, 다르게 해보려고 애쓴 결과가 바로 낚시 의자였다. 낚시 의자는 내가 원했던 만큼의 역할을 해주진 못했지만, 나와 아들이 함께 보낸 한 때를 떠올리게 해주는 고마운 물건이다.

2장 인생은 플라잉

막귀의 피아노

해바라기

피아노 협주곡 1번, 즉흥 환상곡, 발라드 1번. 둘째 아이가 사랑하는 쇼팽의 피아노곡들이다. 잠든 아이의 머리맡에서도, 공부하는 책상에서도 내내 피아노 선율은 흐른다.

수능을 몇 달 앞둔 고3의 위치는 잊은 듯 저녁 식사 전 일과처럼 피아노 앞에 앉는다. 쇼팽과 아이와 피아노가 하나가 된 연주 모습을 넋을 잃고 보다가 수험생 엄마인 걸 깨닫고 세차게 고개를 저으며 자리를 뜬다. 밥상이 차려질 때까지 연주할 태세이니 식사 준비하는 손이 더욱 바빠진다. 잔소리 없이 학습 모드로 바꾸는 유일한 방법이기 때문이다.

건조한 감성의 나를 닮지 않아서 다행인 두 아이는 음악으로 희로애락을 느끼고 아빠와 함께 저녁 식사 후 번갈아 가며 일일 DJ를 자처한다. 각자 곡에 얽힌 사연까지 들려주는 덕에 듣는 이들은 고개를 끄덕이며 음악에 더 깊이 빠져든다. 반면 나는 집중하지 않아서 느끼지 못하는 건지, 느끼지 못해서 집중이 안 되는 건지, 갑자기 해야 할 일들이 떠올라서 부산하게 집안을 오간다. 역시나 오늘도 나를 뺀 셋 만의 음악 감상실이 되어 버린다.

클래식이든 대중가요든 잘 듣고도 돌아서면 잊어버리는 나는, 수년째 반복되는 핸드폰 벨 소리의 제목조차 모른다. 벨 소리만 들었지 제목까지 매번 듣는 건 아니니까 그럴 수 있다며 별일 아닌 양 친다. 오래전 〈하울의 움직이는 성〉 영화를 본 후 며칠 뒤 길을 걷고 있었다. 초등 저학년이던 큰 아이가 그 영화에서 나왔던 곡이라며 반갑게 나를 쳐다본다. 그제야 내게도 음악소리가 들려왔다. “그 영화에 음악이 있었어?” 내가 영화 스토리에만 너무 몰입했었나 보다. 삽입곡 ‘인생의 회전목마’라고 하는데, 들으나 마나 며칠 지나면 또 제목과 멜로디와 영화는 연결고리가 풀리고 “응, 그 곡 제목이 이거였어? 아, 그 영화에서 나왔었니?” 하겠지.

매번 반복되는 내게 아이들이 붙여준 별명 ‘막귀’. 귀로는 분명 들었을 텐데 접수 못 한 뇌가 문제겠지. 중요한 뇌의 문제라기보다는 일부분인 귀를 버리고 말자.

나는 쉰을 훌쩍 넘겨 병원 일에 도전한 신참 간호조무사다. 별생각 없이 비교적 정년이 길어서 택했었는데, 5년만 젊었어도 관련 대학교에 가고 싶을 정도로 적성에 잘 맞는다. 최근 집 앞에 있는 가정의학과로 일터를 옮기면서 여러모로 여유가 생겼다. 출퇴근에 들어가는 시간과 차가 막힐까 하는 조바심, 간발의 차이로 희비가 엇갈리는 주차 전쟁의 스트레스에서도 해방되었다.

근처에는 잰걸음으로 10분을 나가야만 병원들이 몰려있는 거리가 보인다. 한 발짝 떼기도 쉽지 않은 어르신들과 맞벌이 부모가 걱정 없이 아이 혼자 보낼 수 있는 동네 안쪽의 작은 의원. 두세 명의 환자가 다녀가면 대기실은 한참 찾는 이가 없고, 연식만큼 요란한 에어컨 소음뿐이다. 한적한 병원에 있으려니 어디선가 피아노 소리가 들린다. 아~! 그러고 보니 병원 위층이 둘째 아이가 다녔던 음악 학원이다. 앞으로 나이 먹을 일만 남은 내게, 아이들과 직업이 빠져나가 버리면? 그 빈자리가 쓸쓸함으로 다가오기 전에, 채워 줄 뭔가를 늘 고민하던 중이었다. 집에 마침 클래식을 전공하고 싶어 했던 둘째 아이의 피아노가 있고, 내 배움이 더딜 때 가정교사가 되어 줄 두 아이가 있다. '피아노. 바로 이거다!' 싶었다.

퇴행이 시작되어 뻐근한 손가락 관절과 빈약한 음감이 부끄러웠지만, 그래도 원장님과 구면이라는 이유로 용기를 내었다. 점심은 환자 없는 틈을 이용해서 간편식으로 몰래 먹고, 점심시간을 이용해 바로 위층에서 피아노를 배우니 시간을 선물 받는 기분이 든다.

수업은 첫 단계인 바이엘 교본과 희망곡을 선정해서 병행하기로 했다. 음악 기억력이 없는 내게는 희망곡 선정도 숙제로 다가왔다. 두 아이가 배운 곡, 그나마 집에서 자주 들어 익숙한 곡, 노력하면 따라갈 수 있는 곡 우선으로 고려해서 영화 〈첨밀밀〉의 '월량대표아적심'으로 정했다.

왼손은 악보도 없이 코드만 있는 입문자를 위한 편곡 악보로, 원곡과 비교해서 들으면 누구나 아름다움이 훅 떨어지는 큰 차이를 느낄 수 있다. 건반에서 '도'의 자리도 몰랐던 내게도, 하늘은 노력하면 양손을 따로 움직일 수 있는 능력을 기본으로 주셨나 보다. 왼손은 낮은 도와 높은 도의 건반을 번갈아 가며 박자를 맞추고, 오른손은 '솔~미레도미~~~'를 성공하며 긴장감으로 길었던 첫 한 시간의 수업을 마쳤다. 누구에게랄 것도 없이 "감사합니다! 감사합니다!"를 외쳤다.

한 마디 같은 두 마디의 악보를 잊을까 봐 건반 모양을 종이에 프린트해서 오후 내 병원 책상 위에 펼쳐놓고 눌러댔다, 집에 와서도 수없이 반복했다. 출근 전과 퇴근 후 계속되는 연습으로 한 주 만에 전주 네 마디를 익힐 수 있었다. 막귀인 내가 양손을 쓰고, 그것도 건반을 외워서 친다고 마구마구 소문내고 싶었다. 친구들에게, 또 모임 단톡방에 연주 영상을 올렸다. 곡명을 맞히면 선착순 1명에게 커피 쏘겠다고 했었는데, 결국.... 커피값은 내 지갑을 벗어나지 못 했다.

노래의 일부, 그것도 앞부분 네 마디라 모를 수도 있겠다 싶으면서도 살짝 서운했다. 어쩌면 혹시 다들 나와 같은 '막귀'인가?

2주 뒤, 노래의 중간 부까지 연주한 영상을 올렸더니 드디어 "월량대표아적심? 맞...나요?" 하는 응답이 왔다. 심하게 편곡되어서 원곡만큼 아름답지 않았던 곡이었지만, 내 손에 와서 더 망가졌나? 셈여림까지 감안할 여유가 없어 곡은 딱딱했고, 건반을 누르는 손가락 힘을 빼라는데 그러면 소리도 사라졌다. '적당히'가 안 되기에 지금은 아름다움은 포기하고 한음 한음 정직하게 꾹꾹 누른다.

매번 주말을 기다린다. 실컷 피아노를 칠 생각에 퇴근길이 설렌다. 하지만 피아노가 큰아이 방에 있어 오래 앉아 있으면 방주인이 보내는 눈치가 따갑다. 아이는 몇 년 전 성인이 되자마자 근시 수술을 했다. 지금은 직장인인데 눈 건강 걱정이 앞서 PC 게임을 많이 할 때면 내가 잔소리를 해왔다.

하지만 나의 피아노 사랑 때문에 본인의 사생활 침해를 자꾸 문제 삼으니 어쩔 수가 없다. 연습하는 내 뒤에서 등을 맞대고 게임을 주구장창 해도 이젠 묵인해야 한다. 그도 아니면 데이트 자금을 지원해 가며 아예 집 밖으로 내보내기도 한다. 왕복 3시간 출퇴근 거리라 늘 피로에 눌린 아들의 어깨가 안타깝더니, 이제는 이른 퇴근도 반갑지 않다.

'나비야' 수준의 단순 동요로 채워진 바이엘 교재 곡들도 내겐 훌륭한 연주곡이다. 연습은 매일 첫 장부터 배운 곳까지 반복이라, 날이 갈수록 연습할 범위가 늘어나 한 권을 두어 번 반복하면 한두 시간은 훌쩍 지나버리고, 피아노 뚜껑을 닫는 시간은 늘 아쉽기만 하다.

그저 가족 바라기였던 내가 피아노 때문에 독립을 꿈꾸기도 한다. 한창 몰입 중인데, 어김없이 돌아오는 식사 시간과 나만 바라보는 배고픈 남자 셋. 툴툴대며 일어나면 기다렸다는 듯 둘째 아이가 앉아서 유난히도 현란한 손놀림과 파워풀한 곡으로 이어서 친다. 모두가 하던 일을 멈추고 "오~역시!" 하며 몰려든다.

차라리 어려운 곡이면 내 기분이 좀 덜 상한다. 나를 놀리듯이 내 연습곡들을 근사하게 뽐내며 치는 건 정말 얄밉다. 점심시간이 딱 초등 저학년들 하교 시간과 겹쳐 학원에서도 매일 같이 고사리손의 예비 피아니스트들과 비교당하고 오는데……. 별 같은 작은 손들의 바쁜 움직임이 얼마나 예쁜지 모른다. 피아노 치는 손은 다 예쁘다. 내 손에게도 그런 날이 어서 왔으면 좋겠다.

첫 곡 완성 후 두 번째 곡은 '아드린느를 위한 발라드'였다. 감성적인 곡으로 가족이 모두 즐겨 들어온 곡이다. 중급의 체르니 30번 수준이라 네 옥타브를 오갈 만큼 손가락 이동 범위도 넓다. 나의 엉성한 손가락은 매번 건반 위에서 길을 잃고 헤매고, 겨우 제 자리를 찾더라도 이미 박자를 놓친 뒤다. 또 굳은 손마디 탓에 악보의 작은 부분을 차지하고 있는 빠른 템포를 쫓아가기도 어렵다.

도무지 나아질 것 같지 않아서 포기하고, 쉬운 곡으로 갈아타려던 나를 놓지 않았던 스승님 덕분에 근 한 달만에 겨우 완곡할 수 있었다. 매일 3시간 이상의 연습으로 완성은 했지만, 무한 반복되는 소음 수준의 연주 때문에 가족들에게 이 명곡은 다시는 듣고 싶지 않은 곡이 되어버렸다.

아직도 두 번째와 네 번째 손가락 화음(두 건반 이상을 동시에 치는 것), 안 써본 중지와 새끼손가락 화음은 힘이 들어가기도 어렵고 동시에 터치도 되지 않아 애를 먹는다. 억지로 힘을 주다 보면 손가락에도 쥐가 난다. 무엇보다 반복되는 구간에서 지금 내가 3번째인지, 4번째 반복을 하고 있는지 몰라서 속으로 세어야만 한다.

무엇 하나 쉽게 되는 건 없지만, 그래도 반갑게도 듣는 귀가 좀 트이는 것 같다. 처음엔 '레'와 '솔'을 바꿔서 친 줄도 몰랐는데 이젠 옆 건반이 눌린 소리도 금방 알아채고, 몇 개 옥타브를 오가는 곡을 악보를 보지 않고도 자연스레 기억하며 제 건반을 찾아가고 있다. 잘 치기 위해 다른 이의 연주 영상도 자주 보고 들으니 곡이 익숙해진다. 그러다 보면? 가족과 음악 감성을 공유할 날도 슬슬 욕심이 난다.

익숙한 것을 바꾸는 어려움과 새로운 것을 익히는 어려움이, 늘어가는 나이만큼 커지고 있다. 굳이 역행을 하고 싶은 건 아니지만, 그냥 흘러만 가서 서러울 것 같으면 다시 가슴을 데워 줄 무언가를 찾아야만 했다. 피아노. 쉰 중반에 찾아온 간만의 열정이 참 반갑다. 박자는 언제쯤 제대로 맞춰서 칠 거냐고 가족들의 타박이 계속되어도 난 기죽지 않는다. 손가락 운동이 뇌 건강에 좋은 영향을 줄 거라는 남편과 피아노가 숨 쉴 구멍이 되어 줄 거라는 아이의 말에서도 내 늦은 도전에 진심 어린 응원이 느껴지기 때문이다. 그래 익힘이 좀 더디면 어때. 나는 지금 생각이 느슨해지고 위로가 되는 친구를 만드는 중이다. 친구가 꼭 사람이고, 생물이어야 할 필요는 없겠지. 나이가 더 늘어 시간과 가사 일에서 조금 더 자유로워질 때 늦게 만난 이 친구와 실컷 지내볼까 한다.

열린 창으로 햇빛도, 서툰 피아노 선율도 가득하다.

계란찜 한 숟갈

길

몽글몽글 피어오르다 푹 꺼진 계란찜을 보면 한 숟가락 푹 뜨고 싶다. 엄마는 계란찜을 중탕으로 만들었다. 큰 냄비 안에 계란 물이 담긴 대접 두 개를 넣고 몇 분 끓이면 계란찜이 된다. 재료는 별거 없다. 파와 당근이 있으면 넣고 그것도 없는 날에는 계란과 소금만 넣을 뿐이었다.

냄비 뚜껑이 들썩들썩, 대접들이 달그락달그락. 보들보들 계란이 익어 간다. 나와 동생들의 머리는 부엌으로 향하고 입맛을 다셨다. 뜨거운 대접은 꺼내기 힘들다. 한소끔 식힌 후 냄비에서 꺼낸 계란찜의 모습은 가운데가 푹 꺼져있었다. 냄비 뚜껑 높은 줄 모르고 봉긋 솟았던 자태는 어디로 사라진 건지... 아쉬운 마음이 들었다.

부들부들한 계란에 짭조름한 국물. 계란찜 하나면 밥 한 공기 뚝

딱할 수 있다. 하지만, 대접 한 개는 늦게 귀가하시는 아빠 것이라 따로 챙겨두고 나머지 하나로 세 남매가 나눠 먹어야 했다. 남동생이 먼저 한 숟가락 크게 뜬다. 엄마는 남동생은 아들이고, 막내라서 유난히 챙겼다. 나와 여동생은 엄마의 눈을 피해 남동생을 째려보았다. 반찬을 한 엄마는 정작 먹지 않으셨다. 남매들이 싸우지 않기를 바라는 마음이었을까? 나는 아빠를 위해 남겨진 냄비 안의 대접 생각이 났다.

'내가 첫째인데 왜 남동생이 먼저 먹는 거야? 나도 계란찜 한 가운데서 푹 뜨고 싶단 말이야. 오늘 아빠 늦게 오실 수도 있으니 나머지도 먹자고 해볼까?'

엄마는 아마도 "누나들이 아빠 챙길 줄도 모르고, 동생 앞에서 먹을 거로 싸운다"며 항상 남동생 편을 들게 뻔했다. 그러니 나는 소리 내 말도 못하고 속으로만 이런저런 생각이 많았다. 그러는 사이 밥상 위 계란찜은 흔적 없이 흐트러져 있었다. 내가 원한 건 이런 게 아니었다. 답답했지만 그냥 쳐다보고 있을 수 없어서 그릇 겉에 붙은 계란을 박박 긁어 먹었다. 그릇에 구멍이 나지 않을까 싶을 정도로 긁다가 숟가락이 휘어진 적도 있다. 부드럽지는 않아도 고소한 게 제법 맛있었다. 그릇이 깨끗해서 설거지할 것도 없다며 엄마는 웃음을 지었다. 입은 즐거웠지만 내 맘은 웃음이 나지 않았다.

나도 엄마처럼 중탕으로 계란찜을 한다. 냄비에 물을 붓고 대접 하나만 넣는다. 전자렌지에 돌리면 부드러운 맛이 덜하고, 뚝배기에 하면 자칫 계란 탄 맛이 많이 난다. 무조건 중탕이 안전하다.

계란을 풀고, 파, 양파, 버섯을 다지고 새우젓을 준비한다. 맑은 새우젓의 감칠맛이 좋아 소금 대신 쓴다. 엄마가 만든 계란탕의 달큼하면서 짭조름한 맛의 비결이 궁금했는데, 그것이 새우젓이었다는 건 나중에 알았다.

중탕으로 계란을 익히려면 시간이 많이 걸린다. 바쁜 아침엔 엄두도 못 내고, 시간이 여유로운 저녁 밥상에만 올린다. 계란찜은 의외로 시간과 정성이 많이 들어가는 반찬이다. 수시로 저으며 익는 시간을 견뎌야 부드러운 찜을 만들 수 있기 때문이다. 간이 한쪽으로 쏠리면 처음 나온 계란찜의 모양을 그대로 가져가기 어렵다. 서로 간을 맞춰야 하니 휘휘 저을 수밖에 없고, 내가 원하는 모양이 나오지 않는다.

내 요령은 처음에 간을 반만 하고 저어 줄 때 나머지 간을 하는 것이다. 냄비 안에서 봉긋한 모양을 만들며 익어 간다. 냄비 뚜껑을 열면 뜨거운 김이 내 얼굴에 기분 좋게 닿는다.

아무 눈치 볼 필요도 없고, 마음껏 계란찜에 첫 순갈을 넣을 수 있는 지금. 어디선가 '나도 푹 꺼진 계란찜 가운데에 첫 숟가락을 넣어 먹고 싶어.'하는 소리가 들린다. 내 목 안쪽 깊은 곳에서 올라오는 소리. 하지만 이번에도 밖으로 뱉지 못했다다. 이제 들어줄 사람이 없다는 것을 알고 있기에....

계란찜이 꺼지기 전에 얼른 한 숟갈 가득 퍼서 입 안에 넣는다. 뜨겁고도 부드러운 것이 목을 타고 내려간다. 마음속 빈자리가 첫 숟갈의 따스함으로 채워진다.

갈치구이와 동전지갑

길

나에게는 명절, 방학 때마다 생각나는 두 사람이 있다.

생각하면 마음 따뜻해지는 나의 두 사람은 외할머니와 친할머니이다.

갈치의 고소하고 달큼한 맛을 알게 해 준 외할머니

초등학교 2학년부터 중학교 입학 전까지 방학마다 청주행 고속버스를 탔다. 외갓집에서 방학을 보내기 위해서였다. 어린 삼남매는 용산버스터미널까지 엄마 손을 잡고 갔다. 버스에는 나와 두 살 어린 여동생, 다섯 살 어린 남동생만 올랐다. 나는 버스 안에서 동생들을 보호해야 하는 작은 어른이 되었다.

나는 외할머니의 사랑을 많이 받았다. 큰 딸인 엄마는 어릴 때부터 타지 생활을 했다고 했다. 그에 대한 미안함 때문이었을까. 남동생을 먼저 챙기는 이모들과 달리 할머니는 나를 더 챙겨주셨다. 할머니는 여름에는 과일 장사, 겨울에는 생선 장사를 했다. 내가 가 있는 동안, 할머니는 제일 이쁘고 큰 것으로 과일을 남겨와 깨끗하게 씻어 나에게 내미셨다. 나는 할머니의 챙김을 당연하게 여겼다.

겨울 방학이면 할머니는 자주 생선구이나 조림을 해 주셨다. 주로 값이 싼 박대나 고등어가 상에 올라왔다. 아마 그날 팔다 남은 생선이었을 것이다. 그런데 어느 날 평소와 다르게 갈치 한 마리를 남겨와 구워주셨다. 갈치는 내가 제일 좋아하는 생선이지만, 집에서는 비싸서 구경도 하지 못한다. 오로지 청주에 와야만 먹을 수 있었다.

부엌에서 갈치 굽는 냄새에 나와 동생들, 막내 이모는 침을 꿀꺽 삼켰다. 매번 올라오는 반찬들이 비슷하기 때문에 밥상을 기다려 본 적이 없는데 그날은 달랐다. 숟가락, 젓가락을 챙기며 먼저 상을 차리려는 분주히 움직이는 모습이 나 스스로 낯설어 웃음이 나왔다.

노릇노릇하게 구운 갈치를 보면서 빨리 먹고 싶어, 네 아이 모두 밥상을 뚫어져라 쳐다보았다. 드디어 할머니 손이 움직였다. 갈치 가운데 살을 발라 내 밥 위에 듬뿍 올려주었다. 동생들도 한 번씩 밥 위에 올려주곤 그 뒤로 나만 챙겨주셨다. 나는 고소한 갈치를 배불리 먹고 맛있는 것을 동생들보다 더 많이 먹었다는 사실에 기쁘고 만족스러웠다.

할머니는 "사랑한다. 고맙다"와 같은 말은 하지 않았다. 방학마다 힘들다 하지 않고 우리를 받아주시고 최선을 다해 밥상을 차려준 마음. 그것이 사랑 아니었을까. 갈치를 먹을 때마다 할머니의 사랑을 추억한다.

짤랑짤랑 동전 소리와 함께 나타나는 친할머니

친할머니는 막내아들의 첫딸인 나를 무척이나 예뻐하셨다. 어릴 때 돌아가신 할아버지는 더 끔찍이 아끼셨다고 한다. 할아버지와 찍은 사진을 보며 '정말 그랬나?' 상상을 해 보기도 했다.

할머니는 김포에서 큰집 가족들과 함께 사셨다. 그런 할머니가 우리 집에 오시는 날에는 아파트 문밖에서부터 짤랑짤랑 소리가 났다.

4학년 초여름을 알리는 더위가 시작되던 6월, 1년 만에 할머니가 오셨다.

집에 들어서자마자 할머니는 양손 가득 들고 온 농작물과 어디선가 기념품으로 받은 작은 살림살이를 내려놓으셨다. 정해진 순서처럼 할머니는 나를 부른 후 바지 안 속곳에서 지갑을 꺼내며 말했다.

"우리 강아지 맛있는 거 사 먹으라고 할미가 모아온 거야."

나는 아무 대답을 안 했다. 속옷 안에서 지갑을 꺼내는 모습이 좋아 보이지 않았다. 게다가 동전뿐이라니. 양은 꽤 되어 1만 원은 넘어 보였다.

이런 내 마음과 다르게 할머니는 "무거워서 혼났네."라며 동전이 가득 든 지갑을 방바닥에 내려놓았다.

"어머니, 뭘 이렇게 모아오셨어요? 이러지 않으셔도 아이들 간식은 사 줄 수 있어요."

엄마는 할머니가 쓸데없는 일을 했다는 듯 말했다. 내 눈에도 그렇게 보였다.

막내아들 집에 온 할머니는 잠시 숨을 돌리고 곧바로 돌아갈 채비를 하셨다. 하루쯤 자고 갈 만도 하지만 사실 우리 집엔 할머니가 편히 주무실 방이 없었다. 아마 서로 불편한 것을 느끼셨을 것이다. 이것저것 가져온 물건을 챙겨주시고, 퇴근하신 아버지 얼굴을 본 뒤 바로 버스를 타셨다.

"이렇게 금방 가실 거면서 할머니는 왜 오셨을까?"

언젠가 엄마에게 이런 말을 한 적이 있다. 엄마는 한숨을 쉬며 아무 대답도 하지 않았다.

아마 할머니는 사업에 실패해서 힘들게 살아가는 막내아들에게 도움을 주고 싶었을 것이다. 그래서 잔돈을 모아 손녀에게 용돈을 쥐어주는 것으로 아들의 부담을 덜어주고 싶었는지도 모르겠다.

싫다고 했지만, 집에서 용돈을 받지 않는 난 사실 할머니의 동전 덕분에 친구들과 학교 앞 문구점에서 그동안 먹고 싶었던 달고나와 500원짜리 과자도 사 먹고, 한 번에 1천 원을 내야 하는 트램펄린도 즐겼다. 할머니의 동전 덕분에 할 수 있었다. 동생들에게는 특권처럼 500원짜리 동전을 하나씩 나눠주기도 했다. 이런 내가 치사했는지, 동생들은 “다음엔 나도 할머니한테 동전 달라고 할 거야”라고 했지만, 할머니의 지갑은 언제나 내 몫이었다.

버스를 타고 오신 할머니에게 그 동전의 무게가 얼마나 무거웠을까? 그런 건 생각하지도 않고 나는 맘에 들어 하지 않았던 지갑 안의 동전을 기쁘게 쓰고 다녔다. 할머니는 손녀에게 무엇이라도 해주고 싶었던 것일까? 못했던 것들을 한다는 것만으로 내 마음은 가득했다. 할머니의 마음까지 생각할 수 없었다. 어른이 된 지금 할머니의 따뜻했던 낡은 작은 동전 지갑이 그립다.

외할머니는 6학년 겨울에 돌아가시고 친할머니는 중학교 때 돌아가셨다.

외할머니는 나에게 큰 나무와 같다. 항상 나를 기다리고 지키고 있는 큰 나무.

친할머니는 따뜻함이다. 할머니의 체온이 느껴지는 지갑을 건네며 바라보던 눈길.

할머니 두 분 덕분에 마음에 사랑을 담을 수 있었고 나만의 추억이 생겼다.

작은 도토리 씨앗 큰 나무가 되다.

길

2011년 봄 동작구 구립 도서관에서 '도서관의 토대를 이루는 사람들'(이하 도토리) 봉사 교육이 있었다. 4주의 교육을 듣고 도서관에서 서가 정리 봉사를 하는 것이다. 도서관을 자주 드나들다 보니 사서 선생님들과 친해졌고 추천을 해주셔서 교육을 듣게 되었다. 도서관에 작은 보탬이라도 되고 싶은 마음이 컸기에 주저 없이 신청했다.

'도토리' 교육이 끝나고 마음이 맞는 6명의 봉사자와 독서 모임을 만들었다. 모임 이름은 '꿈꾸는 도토리'. 엄마와 아이의 꿈이 도서관에서 이뤄지게 하는 모임이라는 의미였다.

도서관에서 진행하는 그림책 프로그램을 '꿈꾸는 도토리' 회원들이 맡게 되면서 우리는 북아트도 만들고 다양한 독서 후 활동을 하기 위해 도서관 문턱이 닳도록 드나들었다.

유치부는 그림책 읽어 주기, 그림 그리기와 종이접기, 초등부는 종이책 만들기, 글쓰기, 토의하기 등 다양한 활동을 했다. 유아들은 흡수력이 정말 좋았다. 바닥에 앉아 책을 읽어 주면 옆으로 와서 궁금한 것을 묻고 묻고 또 묻고.. 초등 프로그램 중 큰 종이에 친구들이 몸 그림을 그려주고 자신에 대해 채우는 활동을 했을 때 아이들의 빛나던 눈망울이 기억난다.

그 밖에도 도서관의 연극 프로그램, 도서관 개관 기념 프로그램 진행도 도우며 도서관 이용자들과 관계를 쌓아갔다. 무보수의 봉사였지만 우리 여섯 명의 도토리는 최선을 다했고, 프로그램이 인기를 얻고 즐거워하는 아이들을 보면서 뿌듯함과 보람을 느꼈다. 이렇게 2년이 지나자 각자 자신 있고 잘하는 분야가 생겼다. 도서관에서 벌어지는 일들이 더는 낯설지 않았다.

동작구 서달산에는 주민들이 애용하는 둘레길이 있다. 회원 한 분이 산책 중 버려진 컨테이너를 보았다며 그냥 두기 아깝다는 이야기를 전했다. 함께 서달산에 올라 컨테이너 안을 들여다보니 청소 도구 등 잡동사니들이 쌓여 있었다. 새롭게 단장을 해 보고 싶다는 작은 마음이 생겼다. '꿈꾸는 도토리'로서, 우리가 뭔가 해야 한다는 숙명적인 느낌을 받았다. 막연하게나마 컨테이너가 숲속 도서관으로 변신하는 장면을 상상했다. 도토리가 큰 나무가 되는 꿈을 꾸기 시작한 것이다.

그 컨테이너는 동작구청에서 숲을 청소하고 관리하기 위해 만든 비품창고였다. 그것을 도서관으로 만들려면 용도 변경과 허가 신청 등 쉽지 않은 과정을 거쳐야 했다. 관련 공무원들을 만나는 일은 동굴 앞에 놓인 커다란 바위를 마주하는 것과 같았다.

그 바위를 움직일 방법을 찾아야 했다. 아무 힘 없는 동아리 대신 비영리단체를 만들기로 했다. 대의원 100명과 회원 300명의 명단이 필요했고, 단체 정관도 정해야 했다. 도토리 회원들은 도서관에 오는 분들에게 대의원과 회원이 되어달라고 부탁했다. 결국 세 차례의 서류 보정을 거쳐 '꿈꾸는 도토리'라는 비영리단체가 탄생했다. 이 과정에서 우리를 응원하는 주민들을 많이 만났고 큰 힘을 받았다. 우리에게 든든한 대의원들의 '빽'이 있다고 생각하니 공무원을 만나도 저절로 어깨가 펴지고 목소리에 힘도 들어갔다.

드디어 동작구청 문화 복지 부서에서 연락이 왔다. 우리의 의견을 긍정적으로 검토해 건축부서에 협조를 구하는 중이라고 했다. 도토리의 임원 세 명이 1년 동안 공무원들과 숲속 도서관 설립을 계획하고 실행해 나갔다. 2013년 5월, 컨테이너는 결국 숲속 도서관으로 다시 태어났다.

처음부터 화려한 모습은 아니었다. 5평의 작은 공간에 책장과 작은 책상 몇 개가 전부였다. 책도 회원들에게 기부받거나 각자 집에서 가져와야 했다. 조금씩 작은 도서관으로 모습을 갖춰나갔다. 구립도서관 관장님에게 도움을 받아 서가 정리도 체계적으로 할 수 있었다. 자원봉사 회원을 모집해 정기적으로 도서관 문을 열어 구민들이 산책을 오가며 책을 볼 수도 있었다.

도서관 앞 평상에서 책을 읽고 숲의 향기를 맡는 일상이 싱그러웠다. 아이들과 활동하는 장소가 숲속이라는 점도 자유롭고 낭만적이었다. 아이들은 평일, 주말 가리지 않고 함께 모여 숲 여기저기를 돌아다니며 놀았다. 그 아이들 중에는 내 아들도 있었다. 평소 자기 것이 더 중요하고 양보하기 싫어했던 아들 녀석도 함께하는 시간이 늘어날수록 동생들을 기다려 주는 의젓한 모습을 보이기도 했다.

숲속 도서관은 여전히 부족한 게 많았다. 수도관이 연결되지 않아, 청소하려면 왕복 20분 거리의 수도전에서 물을 길어 와야 했다. 유치원생들도 각자 먹을 물을 하나씩 챙기고 빗자루를 들고 낙엽을 치우곤 했다. 함께 산에 오르고, 놀이와 청소를 하며 숲이 주는 에너지를 맘껏 담을 수 있었다.

"나무에서 소리가 나요. 나무도 심장이 뛰나 봐요."

"나무껍질이 두꺼운데 어디서 소리가 나는 거예요? 이 큰 나무에서 소리가 난다는 게 신기해요."

"내 심장에서도 소리가 나요. 콩닥콩닥. 소리가 너무 커요."

나무에 청진기를 대고 소리를 들어보는 활동이었다. 아이들은 나무에서도 자기 심장처럼 소리가 나는 것이 신기한 듯 숲을 누볐다. 물론 그 소리가 나무의 심장 소리는 아니지만, 아이들은 나무가 살아있다는 것을 알았을 것이다. 다른 생명을 소중히 여기고 그것을 지키기 위해 어떻게 해야 하는지 직접 느끼는 시간이었다.

나는 이전까지 봉사는 시간과 능력 등 가진 것이 많은 사람이 하는 거라 생각했다. '꿈꾸는 도토리'를 통해 내 생각이 틀렸음을 알게 되었고 나누는 기쁨을 배울 수 있었다. 아이들에게 책을 읽어 주고 함께 이야기를 나누며 나의 내면도 함께 자랐다. 숲속에서 보낸 시간들은 나에게 앞에 있는 나무만 보는 것이 아니라 넓은 숲을 바라보며 시간에 따라 변하는 자연의 모습을 여유 있는 마음으로 즐기게 해주었다. 봄꽃이 피면 꽃향기와 벌, 나비. 여름에는 모기와 빗소리. 가을에는 여기저기 떨어진 열매와 낙엽 냄새. 겨울에는 눈과 기다림의 시간을 숲에서 느낄 수 있었다.

숲속 도서관은 2020년 멋지게 탈바꿈했다. 액자식으로 넓은 창을 만들어 실내에서도 숲속의 사계절을 느낄 수 있게 되었다. 공간이 한껏 넓어지고 내부 조명도 환해졌다. 누구라도 들어가 보고 싶은 도서관으로 자리 잡았다. 도서관 앞의 나무는 지금도 그대로 있다.

10년 전 나는 인천으로 이사했다. 8살이던 아이는 목소리 굵은 청소년으로 훌쩍 자랐고 사십 대 열정 넘치던 나도 반백 년을 바라보는 나이가 되었다. 비록 숲속 도서관에 자주 가지 못하지만, 나는 알고 있다. '꿈꾸는 도서관'은 숲속 같은 자리에서 언제나 나를 기다리고 있을 거라고.

그 순간으로 돌아간다면

박상희

둘째 아이가 초등학교 1학년이었을 때의 일이다. 유치원 때와는 다르게 아이가 학교 수업을 잘 따라갔으면 하는 바람이 생겼다. 그래서 보내는 학원 수가 많아지고 이것저것 집에서 시키는 공부의 양도 늘어났다. 악기 하나쯤은 다루어야 할 것 같아서 피아노 학원에 보냈고, 외국어는 필수니까 영어 학원에도 보내기 시작했다. 특히 한자는 8급 문제집을 사서 매일 저녁 글자를 쓰며 외우게 했다. 문제집에 있는 한자를 다 공부했을 무렵 한자 능력 검정시험 8급 시험을 신청했다.

시험 당일, 아이와 함께 집에서 1시간 거리의 시험장으로 향했다. 낯설고 넓은 대학교 건물에 들어서자 긴장감이 몰려왔다. 수험번호를 확인하고 배정된 교실로 찾아갔다. 초등학교 교실 정도 크기를 상상하며 들어갔는데 100명도 넘는 사람들이 들어갈 정도로 큰 강의실이어서 깜짝 놀랐다. 아이들과 어른들로 강의실은 북적북적 시끄러웠다. 어수선하고 낯선 분위기 속에서 아이의 자리를 찾아서 앉혀 주고 시험시간 전까지 한자를 다시 한번 보게 했다.

"엄마, 나 시험 안 보면 안 돼? 엄마가 옆에 있어 주면 안 돼?"

아이가 주변을 돌아보고 불안한 표정을 지으며 울먹거렸다.

"괜찮아, 너보다 어린 동생들도 와서 시험 보잖아. 다들 혼자서 잘하니까 너도 할 수 있어."

겉으론 이렇게 말했지만, 불안해하는 아이가 걱정되었다. 나도 같이 시험을 접수해서 아이와 앞뒤로 앉아서 볼 걸 그랬다는 후회가 밀려왔다.

시작 시간이 되어, 교실을 나왔다. 건물 밖에서 아이가 시험을 무사히 마치고 나오기를 기다렸다. 5분 정도 지났을 때, 감독관이 밖으로 나오며 큰 소리로 누군가를 불렀다.

"강수영 학생 어머니! 강수영 학생 어머니!"
"네! 저예요!"

가슴이 덜컥 내려앉았다. 시험장에 도착한 내내 걱정이 되었는데 결국 아이는 시험을 끝까지 치르지 못하고 포기했나 보다. 아쉬운 마음으로 아이에게 달려가는데 머릿속에서 예전 TV 프로그램 〈인생극장〉의 한 장면이 펼쳐졌다.

'아이에게 괜찮다고 말해주고, 꼭 안아 주어야겠지?', '왜 그것도 제대로 못 풀고 나왔느냐고 화를 내야 하나?' 두 가지 생각이 머릿속을 떠다녔다.

시험 감독관을 따라 들어가 복도에서 울고 있는 아이를 만났다. 순간 나도 모르게 "수영아! 왜 그랬어!!"라고 큰 소리를 내고 말았다. 집으로 돌아오는 내내 풀이 죽은 아이를 위로해 주기는커녕 속이 상한 내 감정을 쏟아내기 바빴다.

그날 저녁, 아이를 재우고 거실 식탁 앞에 혼자 앉아 낮에 있었던 일을 되새겨보았다. 낯선 환경이었지만 아이가 혼자서도 의젓하게 무사히 시험을 치르고 나왔으면 했다. 아이가 시도한 첫 번째 도전이 성공의 경험으로 남아 두 번째, 세 번째로 자연스럽게 이어지기를 바랐다. 그동안 공부했던 노력이 결실을 보지 못해 아쉬웠다. 시험을 보느라 거리에서 버린 왕복 2시간의 시간과 원서 접수비도 아까웠다.

하지만 아쉽고 안타깝고 아깝다는 감정에 사로잡혀 울고 나오는 아이에게 큰 소리를 내서는 안 되었다. 아이는 태어나서 처음 겪는 두려움과 좌절의 순간에 마음을 위로받는 대신 엄마의 눈치를 보아야만 했을 거다. 낯선 곳에서 첫 시험을 보게 된 아이의 불안을 깊이 생각하지 못하고 덩그러니 내버려 둔 것에 미안하고 죄스러운 마음이 들었다. 울고 있는 아이를 따뜻하게 안아 주며 괜찮다고 말했어야 했는데 자격 미달인 엄마가 된 것 같아 부끄러웠다. 아이가 울면서 나왔을 때 마음을 헤아리고 다독여 주었더라면 얼마나 좋았을까. 뒤늦은 후회를 하며 가슴이 아팠다.

1학년이었던 아이는 지금 초등학교 5학년이 되었다. 한동안 멈춰 두었던 한자 공부도 최근 다시 시작했다. 아이에게 조심스럽게 그날의 일을 꺼내보았다. 의외로 아이는 하나도 기억나지 않는다고 했다.

“엄마, 이제는 나 혼자 한자 시험 볼 수 있을 것 같아.”

씩씩하게 말하는 아이를 바라보며, 나는 4년 전 그날로 되돌아간다. 울고 나오는 아이를 내가 꼭 안아 준다. “혼자서 많이 긴장되고 떨렸구나. 괜찮아.”라고 말하며 아이의 등을 토닥인다. 그리고 그 옆에서 잔뜩 화를 내던 내게도 똑같은 말을 건네본다.

한 시간만 달리면 돼

박상희

"우리 마라톤 대회에 나가보지 않을래?"

같은 인천에 살고 있지만 서로 바빠 일 년에 서너 번 만나는 고등학교 친구가 있다. 전화 통화는 자주 하는 편이라 서로의 생활을 속속들이 알고 있다. 퇴근길에 걸려 온 전화에서 친구가 조심스럽게 마라톤 대회에 나가보자는 말을 꺼냈다. 갑자기 무슨 마라톤이냐고 묻자, 남자친구가 마라톤 대회에 다녀와서는 꼴 보기 싫을 정도로 자랑했다며, 자신도 출전해 보겠다고 호기롭게 말해 놓았다는 것이다.

어이없는 대답에 김이 빠졌지만, 친구와 멋진 추억을 만들 수 있을 것 같아 흔쾌히 좋다고 대답했다. 20여 년의 긴 시간 동안 영화를 보거나 밥을 먹고 차를 마시는 정도의 단조로운 만남만 계속해 온 터라 같이 마라톤 대회에 나가보는 것도 좋을 것 같았다. 나중에 나이가 들었을 때 두고두고 재미있는 이야깃거리가 될 것 같기도 했다.

하지만 시원스레 긍정적인 답을 해놓고 나서 덜컥 겁이 났다. 하루에 1시간 이상 걷는 것을 빼고는 땀을 빼거나 근력을 키우는 운동을 한 적이 없기 때문이다. 체력에 대한 이야기를 하자 친구는 걱정할 것 없다며 아무렇지 않게 대답했다.

“정말 걱정 하나도 안 해도 된다니까. 예전에 연습 하나도 안 하고 마라톤 대회에 나가본 적이 있는데, 한 시간만 달리면 되더라.”

예전이 언제였냐고 물어보니 10년 전이란다. 말문이 막혔다. 10년 전이면 30대로 들어설 무렵인데 그때의 체력과 비교하면 40대가 된 요즘의 체력이 좋지 않다는 것을 느끼기 때문이다. 그런데도 한 시간만 달리면 된다는 말에 왠지 용기가 났다.

우선 마라톤 대회 일정을 알아보기로 했다. 체력도 기르고 달리기 연습을 할 수 있을 만큼의 기간을 확보하려면 최소 한 달은 필요했다. 마침 40여 일 후 ‘새벽 강변 국제마라톤 대회’가 열린다는 안내글을 읽었다. 이 대회를 목표로 삼아 10km 코스 경기 참여 신청을 하고 참가비를 입금했다.

마라톤 이야기가 나온 지 하루 만에 번갯불에 콩 볶아 먹듯 참가 신청을 하고는 며칠 동안 무엇부터 해야 할지 몰라 우왕좌왕했다. 정말 마라톤 대회에 나가는 게 맞는지 긴가민가했기 때문이다. 정신을 차리고 운동복과 운동화를 구매하기 위해 인터넷을 검색했다. 취미로 마라톤을 하는 사람들이 많아서 정보를 찾기가 쉬운 줄 알았는데 의외로 제대로 된 구매 가이드를 찾기가 어려웠다. 마라톤 동호회 카페나 운동화 전문 매장에 가서 직접 물어보면 되었을 텐데 한 번 출전하고 그만둘지도 모를 마라톤을 위해 손품과 발품을 파는 것이 귀찮았다. 그래서 '마라톤화'로 검색된 운동화 중 적당한 것을 주문했다. 땀이 나도 몸에 달라붙지 않는 재질, 장시간 햇빛을 받아도 덥지 않기 위한 밝은색의 반소매와 반바지 운동복도 구매했다.

복장을 갖춘 후 연습을 시작했다. 하루에 한 시간씩 꾸준히 걷고 거리를 늘려가며 첫 주에는 1km, 두 번째 주에는 2km, 세 번째 주에는 3km를 쉬지 않고 뛰었다. 고등학교 체육 시간 이후로 이렇게 뛰어본 적이 없어서 1km를 달리는 것도 처음에는 무척 힘이 들었다. 숨이 차 100m를 달리다 쉬고 다시 100m를 달리다 쉬는 것을 반복했다. 숨이 턱까지 차오를 때는 참가비를 환불받을 수 있는 취소 기한을 생각하며 달렸다. 여차하면 취소하고 포기해도 된다고 생각하니 부담감이 조금 줄어들었다. 그렇게 3주 정도 연습을 하고 나서야 3km를 쉬지 않고 달릴 수 있게 되었다. 처음에 연습을 시작할 때는 10km를 한 번이라도 달려보고 나서 대회에 나가보자고 결심했었는데 몸이 마음먹은 대로 움직여 주지 않아 결국은 대회 전날까지 3km 달리는 것으로 만족해야 했다.

한창 대회 연습을 하던 어느 날 친구에게 전화가 왔다.

"정말 미안해. 대회에 나가지 못할 것 같아. 그날 마침 집안 행사가 잡혔지, 뭐야. 사실 나 아직 참가 신청도 안 했어. 너 혼자 나갈 수 있겠어?"

여태 신청도 하지 않았다니. 친구의 말에 배신감을 느꼈다. 나도 취소할까, 잠시 고민했지만, 운동복과 운동화도 준비했고 연습도 한 마당에 나까지 대회를 포기하는 건 아쉬웠다.

대회 일주일 전, 번호표와 안내 책자, 기록 측정 인식표가 도착했다. '10km 여자 18426번'이라고 적힌 번호표를 보니 곧 대회에 나간다는 게 실감이 나면서 가슴이 두근거리기 시작했다. 이제는 정말 돌이킬 수 없고, 달려야만 했다.

애써 마음을 진정시키고 안내 책자의 주의 사항을 읽어보았다. '사망보험금'이라는 말이 눈에 확 들어왔다. 무리해서 달렸을 때 생기는 불의의 사고에 대한 책임은 대회 주최 측이 아니라 참가자 본인에게 있다는 문구를 보자 조금 겁이 났다. 처음 참가하는 것이고, 달리기를 즐기기 위한 것이니 절대 무리하지 말자고 다짐했다.

드디어 6월 17일, 대회 날이 왔다. 새벽 5시에 일어나서 준비하고 6시 10분에 집에서 출발했다. 전철을 타고 대회 장소인 여의나루에 도착한 시간은 7시 25분. 전철역에서부터 마라톤 대회에 참가하는 사람들을 여럿 볼 수 있었다. 반가움과 함께 동지애가 느껴졌다. 마라톤 대회장에 들어서니 동호회, 직장 모임, 친구나 가족끼리 오거나 나처럼 혼자 참가한 사람들이 많았다. 이른 아침에 이렇게 많은 사람이 모여서 북적북적하는 것을 보니 축제에 온 듯한 기분이 들어 설레었다.

상의에 번호표를 붙이고 운동화에는 기록 측정 인식표를 부착했다. 이 인식표는 접으면 기록 측정이 안 되기 때문에 둥글게 말아 운동화 끈에 붙였다. 전철역에 내렸을 때는 나만 혼자인 것 같아서 쭈뼛거리는 마음도 들고, 그냥 집에 가 버릴까, 잠시 고민하기도 했다. 그런데 복장을 정비하는 동안 마음이 차분하게 진정되었다.

8시에 하프 코스, 8시 10분에 10km 코스, 8시 20분에는 5km 코스 순서로 참가자들이 시간 간격을 두고 출발했다. 너무 뒤에 서 있으면 쫓아가는 것이 힘들까 봐 일부러 앞쪽에 서서 출발신호를 기다렸다. 노란 풍선을 달고 있는 사람들이 있어서 누구인지 궁금했는데 함께 달려주는 페이스메이커라는 안내방송이 나왔다. 노란색 풍선의 50이라는 숫자를 가진 페이스메이커를 따라 달리면 50분 안에 들어올 수 있다고 했다. 나도 그 풍선을 따라가고 싶었으나 무리하지 않기로 다시 마음을 다잡았다.

드디어 출발했다. 2km 지점에 도착했을 때 제일 숨이 막혔고 3km 지점에 도착했을 때는 덜컥 겁이 났다. 연습할 때 3km 이상 달려본 적이 없었기 때문이다. 정말 완주할 수 있을까? 걱정이 들었다. 벌써 5km 거리의 반환점에서 돌아오는 10km 코스 참가자를 보면서 기가 죽었다. 포기하고 싶은 마음이 몇 번이나 불쑥불쑥 올라왔다. 그럴 때마다 친구의 말을 떠올렸다.

"한 시간만 달리면 돼!"

이 말을 주문 삼아 한 시간만 버티자는 마음으로 한 걸음, 오직 한 걸음씩 내딛기를 반복했다.

대회 이름이 '강변 마라톤'이라, 멋진 한강의 풍경을 감상하면서 달릴 수 있지 않을까 기대했는데, 한강은 눈에 들어오지도 않았다. 달리다 걷고 달리다 걷고, 나와 비슷한 속도로 달리는 사람이 있으면 같이 달리고, 힘이 들면 잠시 걸어가고, 걸어가다 또 나와 비슷한 속도로 달리는 사람이 있으면 따라 달리고, 이렇게 서로가 서로에게 페이스메이커가 되어 주니 힘이 들어도 견딜 수 있었다. 중간중간 파이팅을 외쳐주고 응원해 주는 사람들도 힘이 되었다.

드디어 10km 출발점이자 도착점으로 돌아왔다. 완주에 성공한 기쁨보다 얼른 앉아서 쉬고 싶다는 생각이 간절했다. 간식과 기념품을 받자마자 휴식 천막에 털썩 주저앉았다. 머리가 어질어질하고 다리에 힘도 풀렸지만, 음료수와 빵을 먹으며 기운을 차렸다. 그리고 그제야 10km 완주 메달을 찬찬히 살펴보았다. 뛰는 내내 다시는 대회 따위는 쳐다보지 않겠다는 생각뿐이었는데, 메달을 손에 쥐니 뿌듯함이 가슴 가득 차올랐다. 10km 여자 1등 수상자의 기록은 38분 40초대였다. 나는 72분! 포기하지 않고 끝까지 달렸다! 뭉클하도록 나 자신이 대견스러웠다. 앞으로 어떤 일이든 해낼 수 있을 것 같은 자신감도 샘솟았다.

집으로 돌아오는 길에 앞으로 열릴 마라톤 대회 일정을 검색했다. 요즘은 주변 사람들에게 이렇게 권하고 다닌다.

"같이 마라톤 하실래요? 한 시간만 달리면 돼요!"

온전히 나의 몸으로만 이루어 낸 성취가 얼마나 큰 기쁨을 주는지, 함께 느껴보고 싶다.

모두 잠든 시간

박상희

“비 오는 날에 빗속을 뚫고 운전할 때 제일 행복해.”

“우울하면 혼자 주차장에 세워둔 차에 들어가서 음악을 듣거나 책을 읽어. 그러고 나면 마음이 조금 편안해지는 것 같아.”

“차는 온전히 나를 위한 장소인 것 같아서 좋아.”

친구들이 내게 해준 말이다. 나는 운전면허증을 가지고 있지만, 운전은 못 한다. 자기 차를 운전하는 친구들에게 자동차와 운전은 자유나 해방, 스트레스 해소, 위로 같은 의미인 것 같다. 이럴 때면 ‘나도 중고차라도 마련해서 주차장에 세워둬야 하나?’ 하는 실없는 생각을 해본다. 경제적 여유가 있다면 작은 원룸을 얻어 개인 공간으로 사용해도 좋겠지만, 아직은 꿈같은 이야기이다. 그렇다고 ‘내 공간’에서 충만한 시간을 보내는 것이 전혀 불가능한 일도 아니다. 왜냐하면 나도 일상에서 친구들이 느끼는 혼자만의 행복감과 편안함 같은 기분을 종종 느끼기 때문이다.

내가 하루 중 가장 많은 시간을 보내는 곳은 집이다. 하지만 네 식구가 복작이는 집에서 개인 공간을 확보하는 건 쉽지 않다. 방 2개는 큰아이와 작은 아이가 각각 차지하고 있고, 방 1개는 컴퓨터 책상과 책장을 둔 서재로 사용한다. 나머지 방 하나는 부부 침실이다.

이제 남은 건 공용 공간인 거실. 신데렐라의 호박 마차처럼 특정 시간이 되면 거실은 내 전용 공간으로 변신한다. 오후 5시 즈음 퇴근해 7시까지는 청소와 세탁, 식사 준비 등 집안일을 한다. 밥을 먹고 한숨 돌리고 나면 초등학생인 작은 아이의 공부를 도와준다. 10시에 작은 아이를 재우고 나면 곧바로 고등학교에 다니는 큰아이가 학원에서 돌아온다. 공부하느라 힘들지는 않은지 물어봐 주고 간식을 챙겨준다. 이후로도 아이의 방에서 흘러나오는 소리에 귀 기울인다. 고등학생 자녀를 둔 엄마는 늘 대기 상태다. 12시, 드디어 큰아이까지 잠이 든다.

이 시간이 오길 얼마나 기다렸던가. 가족들이 모두 잠든 12시에서 2시까지, 거실은 온전히 내 것이 된다. 이 시간을 즐기기 시작한 건, 첫째 아이가 태어나고 백일이 지날 무렵부터다. 휴직하고 하루 종일 아이 뒤치다꺼리하느라 지쳐버린 내 모습이 안타깝고 안쓰러웠다. 그래서 잠을 조금 줄이더라도 바쁘고 힘들었던 하루를 정리하는 시간을 가져보기로 한 것이다.

가족들이 모두 잠든 시간, 거실은 적막하고 평온하다. 이 시간만큼은 익숙했던 거실이 우주 속을 유영하는 운석이나 작은 우주선이 된 것 같은 착각이 든다. 베란다 밖 아파트 창문들은 불이 꺼져 있고, 모두 잠든 듯 사람 소리가 하나도 들리지 않는다. 이럴 때면 무중력 상태의 깊은 고요 속에 내가 있는 것만 같다. 나를 강제로 끌어당기는 힘이라고는 중력조차 느껴지지 않는, 그저 둥둥 떠다니기만 하면 되는 우주 공간에서 우주 비행사들은 이런 편안함을 느끼지 않을까 하는 상상을 해보는 것이다.

이 고요한 우주선 안에서 나는 커피가 주는 묵직한 향과 맛에 눈을 떴고, 육아 서적을 읽으며 아이를 잘 키워보겠다고 다짐했다. 학창 시절에 좋아했던 '토이'나 '전람회'의 노래를 다시 찾아 들으며 밤새 가사를 외우던 고등학교 시절을 떠올렸다. 가끔은 인터넷으로 심야 라디오를 들으면서 '별이 빛나는 밤에'나 '음악도시' 같은 라디오 프로그램에 사연을 보내던 학창 시절로 돌아가기도 했다. 그러다 보면 하루 종일 집에 틀어박혀 있던 답답함과 말이 통하지 않는 아이와 안달복달했던 마음이 진정되곤 했다. 복직 후 아이들이 좀 더 자라고 나서는 일거리를 가지고 와서 할 때도 있고, 때론 소설책에 빠져 울고 웃었다. 다이어리의 일정표를 정리하면서 다음날 해야 할 일을 끄적이기도 한다.

내겐 일이나 사람, 가족 등 무언가에 연결되지 않은 채 온전히 나를 돌볼 시간이 필요하다. 누군가에겐 집 한 편에 마련한 작은 홈 바가, 누군가에겐 서재가, 누군가에겐 베란다 정원이, 또 누군가에겐 요가 매트 한 장이, 그리고 또 누군가에겐 자동차가 소중한 공간이 될 것이다. 나를 위로하고 응원하는 마음으로, 애써 만들고 가꾸는 돌봄의 시간과 공간. 모습은 달라도, 내게도 해방감과 자유로움을 주는 나만의 공간과 시간이 있다고 당당하게 말할 수 있을 것 같다.

취미 유목민의 취미 부자 도전기

박상희

드라마 '응답하라 1994'가 인기리에 방영될 무렵이다. 여주인공 나정이를 짝사랑하는, 대학 야구 최고의 에이스 칠봉이 역을 맡은 유연석 배우에게 관심이 생겼다. 호기심을 가지고 그가 출연한 유튜브 영상과 인터뷰 글을 찾아보았다.

'취미 부자'라는 별명을 가질 정도로 다양한 취미를 가진 배우의 모습이 무척 신선하게 와 닿았다. 다양한 식물을 키우고, 연극 무대를 설치했던 경험을 바탕으로 가구를 직접 만들어서 사용하고, 여자 친구에게 수제 비누와 화장품까지 만들어서 선물하며 계절마다 캠핑을 다니는 모습이 참 대단해 보였다. 연기 활동도 열심히 하면서 여가 시간에 다양한 활동을 하며 삶을 알차게 채워나가는 모습이 부러웠다.

나도 아이를 낳기 전에는 이것저것 배우러 다니는 것을 참 좋아했다. 종이접기와 종이 조각, 북아트를 가르쳐 주는 공방에 4년 동안 다녔다. 아이와 놀아 줄 때 유용할 것 같아 레크리에이션과 페이스페인팅도 배웠다. 책에 관심이 많아 독서 지도법이나 독서치료, 동화구연을 배우러 다니기도 했다. 빈 시간을 배움으로 채우는 것이 즐거웠다.

하지만 아이가 태어나고 나서는 개인 시간을 내는 것이 참 어려웠다. 뭐라도 할라 치면 '이런 걸 배우러 다닐 시간에 아이한테 책 한 권 더 읽어주는 것이 낫지 않을까? 내가 지금 악기를 배워서 어디에 다 쓰지? 나보다 아이가 악기 연주를 잘하는 게 더 중요하지 않을까?'라는 생각이 들면서 모든 것이 시들해졌다. 첫째 아이와 둘째 아이가 초등학생이 되기까지의 10여 년간 배움과 담을 쌓고 지냈다.

아이들이 자라서 내 손이 많이 필요하지 않게 되니 그제야 삶을 둘러볼 여유가 생겼다. 문득 그동안 직장 생활과 집안일, 가족 돌봄에 집중하느라 나를 위해 시간을 들이는 것에 소홀했다는 아쉬움이 들기 시작했다. 그래서 유연석 배우처럼 취미 부자가 되어보자는 결심을 하게 되었다.

마침 지역의 청소년센터에서 성인을 대상으로 가죽 공예 강의를 개설했다. 6개월간 매주 수요일에 다양한 가죽 공예 작품을 만드는 프로그램이었다. 청소년센터에서 재료비의 대부분을 지원해 주기 때문에 사비는 6만 원만 내면 되었다. 좋은 기회라는 생각에 얼른 신청서를 제출했다. 가죽 공예에 대한 기본 강의를 듣고 마우스패드, 필통, 지갑, 통가죽 이중팔찌, 장지갑, 반지갑, 클러치백을 만들었다. 가죽 원단을 제도하는 법과 염색, 각인 새기기, 바느질 구멍을 뚫고 바느질하기, 오일을 발라 마무리하는 과정까지 모두 직접 해볼 수 있어 무척 재밌었다. 바느질로 생활용품을 직접 만들어서 사용할 수 있다는 점이 무척 신선하게 느껴졌다. 왠지 수공예 장인이 된 것 같았다.

지금도 가끔 인터넷에서 가죽 공예 키트를 구매하여 동전 지갑이나 손가방을 만들어 보곤 한다. 얼마 전에도 바느질만으로 가방을 하나 완성했는데 완제품을 살 때와는 다르게 직접 만들었다는 애착이 생겨서 더 소중하게 사용하고 있다.

사실 가죽 공예를 제대로 하려면 준비물과 비용이 생각보다 많이 든다. 좀 더 비용이 적고 편하게 접근할 수 있는 건 없을까 찾아보던 중 색연필화와 오일 파스텔화를 알게 됐다. 딸아이가 혼자 그림을 그리며 놀고 있는 모습을 보면서 '도대체 저렇게 그림을 그리는 실력은 누구에게 물려받은 거지?'라고 생각하며 감탄할 때가 많다. 나와 남편은 그림 쪽엔 재능이 없는데 딸아이는 제법 그림을 잘 그려 친구들에게 자신의 그림을 선물하기도 한다. 글씨 쓰기나 그림 그리기처럼 손으로 정교하게 하는 일이 마음대로 되지 않아 답답한 적이 많았다. 이참에 그림 실력이나 키워보자는 마음으로 색연필화와 오일 파스텔화를 연습해보기로 했다.

제일 먼저 인터넷에서 색연필과 오일 파스텔 종류와 가격을 알아보았다. 전문가용 색연필 세트와 오일 파스텔은 10만 원이 훌쩍 넘어갈 정도로 고가의 제품이 많았다. 적당한 가격의 취미용 제품을 고르고 유튜브에서 관련 강의를 찾아보았다. 초보자를 위해 재료의 사용부터 기초 드로잉 연습, 간단한 작품 그리기까지의 과정을 알려주는 강의가 아주 많았다.

내게 맞는 채널을 구독하고 퇴근 후 시간이 날 때마다 10분에서 20분 정도 색연필화와 오일 파스텔화를 한 장씩 그리기 시작했다. 안타깝게도 실력이 극적으로 좋아지지는 않았다. 내 손과 손가락이 야속하기만 했다. 결국 그림은 나와 맞지 않는다는 것을 다시 한번 깨달으며 일 년 만에 그만두었다. 하지만 아직도 미련이 남아 '어반 스케치'를 배워보면 어떨까 기웃거리고 있다.

요즘은 '뭐라도 잘 맞는 거 하나만 걸려라.'라는 마음으로 향수와 친환경 비누 만들기, 각인 도장 만들기, 플레이팅 도마와 냄비 받침 만들기, 양말목 공예, 각종 소품 만들기, 등산이나 자전거 타기 등 배울 기회가 주어지면 무조건 해보려고 한다. 그러다 보면 내가 무엇을 좋아하고 잘하는지, 혹은 잘 맞지 않는지 알 수 있게 된다. 그리고 무언가에 몰입해서 뭔가를 하고 있을 때는 직장에서 받았던 스트레스나 아이와 집안일에서 오는 걱정과 근심을 잠시 잊을 수 있다. 이렇게 부정적인 감정을 해소 시키고 나면 일상을 좀 더 활기차게 생활할 수 있게 된다.

한때는 한 가지를 골라 깊이 있게 파고드는 것이 더 의미 있지 않을까 생각했다. 취미로 시작해 점점 전문성을 길러 직업 활동으로 연결하는 사례도 종종 보았기 때문이다. 하지만 요즘은 될수록 그런 목적 없이 휴식하는 것에 중점을 두려 한다. 가끔은 '먹고살기도 바빠 죽겠는데 다른 거 할 시간이 어디 있냐.'는 생각이 들 때도 있다. 하지만 잘먹고 잘살기 위해서 일상 속 활기를 채워나가는 활동은 중요한 것 같다. 나의 삶을 알차게 채워나가기 위해 새로운 걸 배우는 일은 앞으로도 계속될 것이다.

명품 가방들과 봉고차를 탔다

놀자

25살 나를 부르는 호칭은 "사장님"이었다. 쇼핑몰 잡화코너에 작은 가방가게를 연 것이다. 지금 생각해 보면 정말 어린 나이였고 겁도 없이 시작했다. 취급 품목은 모조품 가방이었다. 지금의 기준으론 절대 해선 안 될 일이지만, 당시만 해도 소위 짝퉁이라 불리는 모조 가방을 여기저기에서 흔하게 팔았다.

안경점을 하던 삼촌은 친하게 지내던 사장님에게 모조품 가방 판매로 한 달 수입이 꽤 된다는 말을 듣고, 내게 그 일을 권했다. 3년 전 아빠가 돌아가시고 집안 사정이 어려워졌다. 장사를 해서 조금만 노력하면 직장인 월급보다는 나을 거라는 이유였다.

삼촌의 부탁으로 그 사장님은 조카인 나에게 자신의 매장에서 일을 배울 수 있도록 기회를 주셨다. 고등학교를 졸업하고 회계업무를 하던 내가 갑자기 장사라니. 겁쟁이에 모험심이라곤 1도 없는데, 어디서 그런 용기가 났는지 모르겠다. 아마 가르쳐 준다는 사람이 있으니 조금은 안심했던 것 같다.

가방 진열하는 법부터 손님 응대, 그리고 가방 브랜드며 디자인 이름 등 알아야 할 게 많았다. 평소 명품에는 전혀 관심이 없었는데, 새로운 걸 알아가는 게 신기하고 재미도 있어 열심히 외우고 배웠다. 샤넬, 루이뷔통, 프라다 등 브랜드만 있는 줄 알았더니, 같은 브랜드 안에서도 원단에 따라 부르는 이름이 달랐다. 루이뷔통의 모노그램, 에삐, 다미에, 프라다의 사피아노처럼.

가방 디자인에 따라 부르는 이름도 다 따로 있었다. 에르메스도 나에겐 생소한 브랜드였다. 에르메스가 마구를 만들던 회사라는 것부터 루이뷔통의 시작은 여행 가방이며, 페라가모의 간치니 장식이나 구두에 있는 리본 장식을 '바라'라고 부른다는 건 다 그때 알게 된 것이다. 여러 브랜드의 가방부터 지갑, 신발, 시계까지 그 당시엔 모르는 디자인이 없었다.

처음 가 본 동대문 도매시장도 나에겐 신세계였다. 새벽 시간의 그곳은 그야말로 불야성이다. 대낮보다 환하고 아침 출근길 저리 가라 할 정도로 사람들은 바삐 오가며 배달 오토바이, 차들도 뒤엉킨 것 같지만 나름의 질서로 이동하며 활기가 넘쳤다. 좌판엔 옷이며 가방, 액세서리등 물건들을 잔뜩 늘어놓고 호객행위를 하는 사람들도 있고 매대에 이것저것 간식을 놓고 파는 사람들도 쭉 늘어서 있다.

모든 게 신기하기도 하고 낯설었다. 도매상인을 부르는 호칭부터 그랬다. 모두 "삼촌" 또는 "이모"라 부르고 있었다. 진짜 나의 삼촌이 아닌 사람을 "삼촌"하고 부르는 게 굉장히 어색했다. 하루 이틀 지나니 나도 "삼촌"하며 살갑게 부르게 되었다.

매일 어마어마한 신상품이 쏟아져 나왔다. 새 디자인의 가방을 구경만 해도 재미가 있었다. 처음엔 일을 배운 사장님이 소개한 도매상에서 물건을 떼어 오기만 했다. 좀 익숙해지자 알려준 거래처 말고 새로운 거래처를 찾아내기도 했다. 모조품은 매장에 떡하니 진열해 놓고 팔지 않아 은밀히 접근해야 한다. 꼭 첩보영화처럼. 지금 생각하면 소심하고 간도 콩알만 한 25살의 내가 어떻게 그런 일을 했는지 얼떨떨하다.

자주 다니다 보니 이젠 동대문시장에 도착하면 단골 건어물 매대에 들러 반 건조 오징어 혹은 쥐포부터 사서 입에 넣고 질겅질겅 씹으며 일을 시작했다. 도매상에서 물건을 매입해 오는 것을 '사입'이라고 하는데 그때의 옷차림도 있다. 나 같은 영세상인은 무조건 현금거래라 가슴 앞쪽으로 지퍼를 여닫을 수 있는 작은 슬링백을 메고 운동화를 신고 청바지에 티셔츠 차림으로 씩씩하게 동대문을 활보

하고 다녔다.

사입이 다 끝나면 같이 온 다른 가게 사장님들과 모여 감자탕을 먹으러 갔다. 새벽이라도 분식, 설렁탕, 파스타, 피자 등 안 파는 게 없다. 그래도 여럿이 소주도 한잔하며 든든하게 먹기에 감자탕만 한 게 없다. 반주로 소주를 곁들이고 마지막으로 볶음밥까지 먹으면 피로가 솔솔 몰려온다. 내 인생에서 가장 맛있게 먹은 감자탕은 모두 그때 먹었던 것 같다.

새벽까지 사입을 하고 집에 가면 6~7시쯤이다. 가게 문을 여는 시간은 11시라 오픈 시간부터 낮 동안은 아르바이트생을 고용했다. 사장님과 알바 사이라지만 나이 차이는 겨우 3살이었다. 나를 "언니, 언니" 하며 싹싹하게 잘 따랐던 내 처음이자 마지막 직원. 이름은 잊었어도 얼굴과 목소리는 지금도 어렴풋이 기억난다.

어느 날 알바생이 단속에 걸렸다며 다급하게 전화를 해 부랴부랴 가게를 나갔다. 도착해 보니 우리 가게 뿐 아니라 단속에 걸린 다른 가게의 사장이나 알바생들이 경찰차에 타려고 막 정문을 나서도 있었다. 단속 나온 경찰에게 부탁해 알바생은 돌려보낸 후 나는 압수당한 가방과 함께 경찰 봉고차에 실렸다.

얼마나 불안하고 겁이 났던지 가는 내내 가슴이 두근거리고 손이 덜덜 떨렸다. 이렇게 전과자가 되나 싶기도 했고 조사를 받는 것 자체가 무섭게 느껴졌다. 조서를 꾸미면서도 지금 내가 겪는 상황이 나에게 일어난 일이 맞나 긴가민가했다. 가방을 모두 압수당하고 500만 원의 벌금형을 받는 걸로 그 일은 마무리됐다. 그 후 다른 품목으로 업종 변경을 해서 장사를 다시 시작했다가 계속 적자를 보게 되며 결국 장사는 접었다.

그 쇼핑몰에서 가장 어린 사장이었던 25살의 나는 정신없이 바쁘게 살았다. 사업자를 내고 가게 인테리어부터 진열까지 내 손을 거치지 않은 것이 없었다. 카드단말기 사용법부터 하루를 마감하는 업무까지도 모든 일을 혼자 처리했다. 면허를 딴 지 얼마 안 된 초보가 일주일에 2~3번 새벽 동대문시장에 가는 날 삼촌의 허락을 받고 차를 빌려 운전하는 일도 겁이 났다. 밤낮이 바뀌어 피곤했다. 그러면서 가게 월세와 물건 사입, 직원 월급으로 내가 번 돈은 직장인 월급보다 적었다. 요령이 없으니 당연했다.

어려움들에도 불구하고 새로운 것을 시도하고 배우면서 설렜다. 처음엔 생소하고 어색해서 긴장도 많이 했지만 일에 빠져들면 재미를 느끼고 즐거워했다. 늦은 나이에 대학에 입학해서 하고 싶던 공부를 할 때도, 드디어 내가 원하던 아이들 앞에 서는 일을 하게 되었을 때도 그랬다. 47살인 나에게도 다시 가슴 벅차게 들떠서 두근거리며 배울 기회가 또 올까?

동인천역 대한서림에서 널 기다릴게

놀자

학원에서 그를 처음 만났다. 유달리 하얗게 반짝이는 교복 셔츠 칼라가 눈에 띄었다. 180cm가 넘는 큰 키에 얼굴은 훈남 스타일이었다.

그를 볼 때마다 가슴이 두근거리고 떨렸다. 그동안 내게 호감을 표시하거나 쪽지를 주던 다른 남학생들과는 전혀 달랐다. 그저 가볍게 찔러나 보자는 듯 다가와서 장난처럼 말을 걸거나, 한 무리의 남학생들이 우르르 몰려오다 그중 누군가를 내 쪽으로 밀며 키득거리던 여느 남학생들과 달리 그는 처음부터 조심스럽게 다가와 내 이름을 물었다.

그래서 그가 말을 걸어왔을 때 정말 기뻤다. 단발에 교복 차림이라 더 이상 멋 부릴 게 없는데도 학원 가기 전 교실 거울 앞에서 머리를 한 번 더 빗고 교복 치마도 짧게 접을까 말까 고민하며 한참 들여다보았다.

학원에 도착하면 제일 먼저 그가 어디에 있는지 두리번거리며 찾았다. 그와는 수업 전 서로의 친구들과 어울려 이야기를 나눴는데 점잖고 조곤조곤하게 말하는 목소리도 듣기 좋았다. 수업이 끝난 후엔 우리 집까지 쫓아오는 남학생이 무섭다는 나를 '안전하게 데려다준다'는 명목하에 반대 방향의 버스를 같이 타고 가주었다. 옆에서 버스 손잡이를 잡고 가는 내내 나는 그를 힐끔거리며 쳐다보았고 가슴만 두근댔다.

어느 날 학원 앞 공중전화에서 통화를 하는 그를 마주쳤는데 손을 바쁘게 흔들며 내게 전화를 받아보라고 성화였다. 다짜고짜 수화기를 들이밀어서 어쩔 수 없이 "여보세요" 했더니 상대방은 밝은 목소리의 남자아이였다.

"누나! 저 지훈이(가명) 형 동생이에요. 형이 누나 얘기 집에서도 엄청나게 해요. 그래서 우리 식구들 다 누나 궁금해하고 있어요. 엄마가 한번 놀러 오래요. 맛있는 거 해주신다고요."

나는 얼떨결에 "네" 하며 수화기를 돌려주었다.

티는 내지 않았지만, 사실 많이 놀랐다. 나는 결혼 전 남자를 만나는 건 세상이 무너지는 것만큼 있어선 안 되는 일인 듯 구는 보수적인 부모님 밑에서 자랐다. 아버지는 언제나 무서운 존재였기에 그의 집안 분위기가 영 적응이 되지 않았다. 그의 가족이 드라마나 영화에서나 존재하는 비현실적인 행복한 가족처럼 느껴졌다.

그렇게 몇 달이 지났다. 그가 토요일 방과 후에 보자며 연락을 해왔다. 내가 다니던 학교 근처, 당시 만남의 장소로 유명했던 동인천역 앞 대한서림에서 내가 올 때까지 기다리겠다고 했다.

나는 며칠을 내내 설레면서도 고민은 깊었다. 학원에서 이야기를 나눌 때는 그도 나도 친구들과 함께였고 버스로 데려다주는 길에도 그의 친구와 함께 이거나, 모르는 사람일지언정 버스 승객들과 함께였는데 왠지 그날은 세상에 아무도 없이 단둘이서만 만나는 것 같았다. 생각만 해도 낯설고 어색했다. 만나고 싶은 마음은 가득했지만, 남자친구의 존재를 절대 허락하지 않을 집안 분위기, 그리고 그와 단둘이 따로 만나는 서먹함을 이겨내기가 쉽지 않았다. 그래서 가지 않았다. 나중에 그의 친구에게 이런 말을 전해 들었다.

"야! 너 왜 그날 약속 장소에 안 나갔어. 지훈이가 늦은 시간까지 엄청 기다리다가 그날 집에 가서 많이 아팠나 봐. 지훈이 정말 괜찮은 놈인데...."

이렇게 고등학교 시절 유일하게 말을 주고받던 남자의 인연은 손 한번 잡아보지 못하고 허무하게 끝났다. 가끔 남편과 싸우거나, 나를 귀한 아들 고생시키는 사람 취급하며 도끼눈을 뜨는 시어머님의 눈살을 볼 때면, 혹은 일상에 지칠 때면 한번 상상해 본다. 만약 그날 대한서림에 내가 나갔다면? 그랬다면 어땠을까.

'그도 지금의 남편과 다르지 않을 것이다. 남자 다 똑같다. 그놈이 그놈이다.' 누군가는 이런 말을 하겠지만, 어차피 상상인데 현실에서 있을 수 없는 남자를 꿈꿔보는 정도는 괜찮지 않을까? 오십이 다 된 내가 이젠 이름도 모르는 그를 찾아 나설 것도 아니니.

*

일요일 늦잠을 자고 일어난 그와 그녀는 집 근처 새로 생긴 브런치 집에서 만족스럽게 식사를 하고 나왔다. 디저트로 아이스크림을 하나씩 사서 입에 물고선 손을 잡고 느긋하게 공원도 산책했다. 집으로 돌아온 그녀가 소파에 앉으며 걱정스레 말한다.

"다음 주 독서 모임 있는데 아직 책을 다 못 읽었어."
"이거? 〈트로피컬 나이트〉?"
"응. 상상에 관해 글도 써야 하는데."
"무슨 상상?"

"내가 품었던 상상, 아니면 만일... 였다면? 이런 거. 뭘 쓰지? 너무 어려워~."

"어렵지. 그럼. 글을 쓴다는 게. 근데 나는 당신 글 좋아. 솔직해서 살아있는 것 같잖아."

"그건 사실을 쓸 때니까. 상상은 더 어렵네. 그러지 말고 뭐 쓸지 같이 생각해 줘."

"글쎄~ 막 좀비나 외계인 나오는 건 어때? ㅋㅋㅋ" 그녀가 눈을 흘기자, 그가 장난기를 거두며 말한다.

"흠~~ 그럼 우리 얘기는 어때? 오래전 그날 당신이 대한서림 앞에 나오지 않았다면. 다른 선택을 했다면?"

"옛날에 이휘재 나온 〈인생극장〉 '그래! 결심했어' 뭐 그런 거?"

"맞아, 맞아"

"그럴까? 음~~~"

그녀가 생각에 잠기자, 그가 책을 집어 들고 다리를 톡톡 두드리며 말한다.

"일단 책부터 읽자. 자~ 여기 누워. 내가 읽어줄게."

그녀가 씩 웃으며 그의 다리를 베고 길게 눕는다. 그녀는 그의 목소리를 들으며 가만히 눈을 감고 어느 여름날 토요일, 교복을 입고 약속 장소로 향하던 그때를 떠올린다.

요즘 어떤 음악 들어?

놀자

"어휴~ 시끄러워. 당신 이렇게 크게 음악 틀고 다니는 거야? 위험한 거 알지?"

남편이 운전석에 앉으며 말했다. 골목 깊숙이 있는 도서관에 같이 가달라고 부탁했는데 노랫소리가 너무 컸는지 타자마자 잔소리다. 위험한 거 알고 있다. 그래도 이건 나의 스트레스 해소법이다. 갱년기 때문인지 이 웬수 같은 남편 때문인지 갑자기 속에서 울끈불끈 불덩이가 올라온다. 그럴 때 소리를 높여 음악을 들으면 속이 뻥 뚫리는 것 같다. 주차하고 난 뒤 소리를 더 키워 한두 곡 더 듣고 내리기도 한다.

원래부터 음악을 좋아했던 건 아니다. 대중교통을 이용하거나 산책할 때도 그냥 조용히 이동하는 것이 더 좋았다. 집에선 TV를 보거나 책을 읽었다. 청소기를 돌리거나 설거지하면서 음악을 듣는 사람들도 있다던데, 나는 집안일에 집중하다 보면 듣는 둥 마는 둥 음악을 틀어놓았다는 사실조차 잊어버릴 정도다.

이렇게 음악과 거리가 멀었던 내가 온라인 음악 서비스 이용권까지 구매해 음악을 즐긴다. 5년 전쯤 전래놀이 강사로 더 많은 학교에 나가면서부터다. 교통사고가 난 후 두려움 때문에 10년 넘게 운전을 안 하다 다시 시작했을 때였다. 처음엔 운전한다는 자체가 힘들어서 차 안에서 음악을 듣는 건 상상도 할 수 없었다. 긴장 상태에서 들리는 음악이나 라디오의 사연들은 나에겐 운전을 방해하는 소음일 뿐이었다.

그러던 어느 날, 수업하러 가는 길에 감기가 오려는지 몸도 피곤하고 팔다리가 쑤시며 기분도 가라앉았다. 이 상태로는 교실에서 아이들의 에너지를 감당하기 버거울 것 같았다. 밝은 노래라도 들으면 기분이 좀 나아지지 않을까 하는 기대로 음악을 찾아서 들었다. 그러니 정말 기운이 났다.

그날 이후 운전하며 음악을 듣는 것이 조금 특별해졌다. 나는 요즘 말로 '극 내향'인 사람이라 혼자 조용히 시간을 보내는 것을 좋아한다. 남 앞에 나서는 걸 그리 좋아하지 않고 활동적이지도 않은 내 성향은 전래놀이 강사라는 일에는 아무래도 도움이 되지 않았다.

이럴 때 나를 예열하듯, 쿵작거리는 신나는 음악을 들으면 기분이 나아진다. 물론 나의 감정이 극적으로 확 바뀌어 레크리에이션 강사처럼 에너지를 쭉쭉 뽑아내는 정도까지는 아니지만, 누군가의 앞에 서기 전 어색하고 초조한 마음을 누그러뜨리고 조금 더 유쾌한 기분으로 아이들과 만나고자 하는 나의 정성이다.

내 드라이브송 취향은 '뉴진스의 ETA', '(여자)아이들의 퀸카', '에스파의 Spicy', '아이브의 Kitsch' 등 화려하고 강한 비트가 흐르는 걸그룹 댄스곡이다. '크러쉬의 러시아워'처럼 중독성 있는 음악도 좋아한다. 리메이크곡도 좋아해서 한동안은 'NCT 드림의 캔디', '버즈의 나에게로 떠나는 여행'을 리메이크한 정은지의 노래도 즐겨 듣는다. 쿵쿵 울리는 소리를 들으면 가슴이 둥둥거리는데 놀이 수업을 하기 전 가라앉았던 기분을 끌어올리는데 최고다.

경력이 쌓이면서 이제는 아이들과의 만남이 긴장되지 않고 전과 비교해 많이 쾌활해졌다. 그래도 여전히 차 안에서는 노랫소리가 끊이지 않는다. 오히려 조용한 차 안이 어색할 정도다. 요즘 수업을 가는 학교는 노래 세 곡이 미처 끝나기 전에 도착할 만큼 짧은 거리에 있지만, 그 시간이 내겐 소중하다.

저녁에 운동하러 가면서도 이어폰을 꼭 챙긴다. 아이들과 부대끼며 하루를 보내고 후다닥 식구들 밥을 준비하고 빨래나 집안일을 하다 보면 몸과 마음이 축 처진다. 아무것도 하기 싫고 소파에 푹 퍼져 쉬고 싶은 마음뿐이다.

이런 나의 두 다리를 움직여 운동센터까지 가도록 하는 건 흥겨운 음악이다. 어느새 음악은 나에게 에너지를 주는 수단이 되었다. 문득 궁금해진다. 다른 사람들은 어떤 노래를 좋아할까. 왜 음악을 들을까. 다음에 친구나 지인을 만나면 물어야겠다. 요즘 어떤 음악 들어? 나처럼 최신가요? 트로트? 클래식? 재즈? 그도 아니면 라디오?

돈 내고 벌 받으러 가요

놀자

나는 유연성이 없어 굉장히 뻣뻣하다. 그래서 요가는 하기 어려운, 나와는 거리가 멀다고 생각했다. 그런데 8년 전, 어떤 일을 겪은 후 우울해지고 그것 때문에 위장질환으로 내과도 오래 다녔는데 나아지지 않아 무척 힘들었다. 요가를 하면 몸과 마음의 건강 모두 다스릴 수 있지 않을까 해서 학원을 찾았다. 일을 잠시 쉬고 있던 때라 남편은 출근하고 아이는 학교에 있을 낮에 수강했다.

처음엔 다리찢기도 90도밖에 안 되고, 앉아서 다리를 붙이고 허리를 숙여 발을 잡으라는데 무릎에 겨우 손이 닿을 정도였다. 게다가 엉뚱한 곳에 힘을 줘서 어깨가 많이 아프고 누군가에게 흠씬 두들겨 맞으면 이 느낌인가 할 정도로 온몸이 근육통에 시달렸다.

한 달은 지나야 괜찮을 거라는 강사의 말을 믿고 겨우겨우 다녔는데 정말 시간이 지나자 근육통도 나아지고 동작도 따라 할만했다. 그 뒤엔 완전히 푹 빠져 요가복도 몇 벌 주문했다. 수업 중 강사가 한명 한명 잘못된 자세를 잡아줄 때 벙벙한 트레이닝복보다는 몸매가 드러나는 요가복이 정확한 코칭을 받을 수 있을 것 같아서였다. 그리고 강사가 알려준 자세로 하고 있는지 스스로 거울을 보며 확인하기도 편했다.

요가복은 66 사이즈로 샀는데도 꽉 조여 불편했다. 하지만 더 불편한 건 내 몸의 상태였다. 물놀이하는 것도 아닌데 허리엔 두꺼운 튜브를 끼고 있고 하체는 앙상하게 마른 내 모습이 영 꼴 보기 싫었다. 요가를 꾸준히 하자 두꺼운 튜브가 점점 얇아지더니 1년 정도 지나자 이젠 자신 있게 거울에 비춰볼 정도로 허리가 매끈해졌다. 성실함과 꾸준함의 결과였다.

요가하는 날엔 약속을 옮길 정도로 일주일에 월수금 3번 하는 수업에 빠지지 않았다. 2년 정도 지나자 강의실 한 가운데서 어디에도 기대지 않고 혼자 물구나무를 설 정도가 되었다. 3년을 꾸준히 하다 새로운 일을 시작하며 시간이 맞지 않고 몸도 피곤할 것 같아 요가는 그만두었다. 운동의 필요성은 알고 있지만 일을 핑계로 계속 미뤄두고 있었다.

그러다가 작년 8월에 독서 모임에서 '안녕, 나의 자궁'을 읽을 기회가 있었다. 갱년기 여성들에게 특히 좋지 않은 것이 밀가루라고 했다. 하지만 밀가루 음식들을 유독 좋아해서 실천 못 하고 있다가 2022년을 한 달 남기고 건강을 위해 밀가루를 조금 줄여보자고 결심했다. 빵을 정말 좋아해서 거의 매일 먹었더니 속이 더부룩해서 명치끝이 답답하고 자주 체했다. 허리둘레도 늘어나서 먹는 빵의 종류와 양을 조절하기로 한 것이다. 아예 먹지 않는 것이 정신적으로 스트레스가 더 할 것 같아 평소 좋아하는 초콜릿이 코팅된 빵이나 안에 크림이 잔뜩 들어있는 빵 대신 통밀식빵이나 치아바타처럼 담백한 빵을, 그것도 참기 어려울 때만 가끔 먹었다. 결과는 바로 나타났다. 배가 쏙 들어가고 허리둘레가 확 줄어 66에서 55, M에서 S가 된 것이다. 바지를 새로 장만해야 할 정도였다.

밀가루를 줄인 효과를 톡톡히 보고 난 뒤 올 초부터는 그동안 미뤄뒀던 운동도 다시 하기로 했다. 새로운 일을 시작한 지 5년이 지나 익숙해졌고 아침에 일어나면 허리가 아픈 증상이 운동 부족 때문이라는 정형외과의사의 말을 들으니 더는 미룰 수가 없었다. 요가를 다시 시작하려다가 마침 집 근처에 필라테스 학원이 새로 개원했다기에 수업료가 얼마인지, 학원도 둘러볼 겸 방문했다. 내가 부러워하는 탄탄하고 건강미가 보이는 실장님이 수업료와 필라테스 수업에 관해 이것저것 설명을 해주었다. 100회 1년 이용권을 끊으면 수업료가 더 저렴한데 이용권을 끊어 놨다 괜히 나가지 않으면 돈이 아까운 것 같아 망설이다 조금 더 생각해 보겠다며 돌아왔다.

일주일 후 실장님이 문자를 보냈다. 다시 한번 수강료를 안내하며 회원님을 기다리고 있겠다는 내용이었다. 진짜로 나를 기다리진 않겠지만, 밀가루를 끊고 달라진 나의 몸을 보고 욕심이 생겨 필라테스를 하기로 했다. 중간에 그만두면 돈이 아깝겠지만, 반대로 돈이 아까워서라도 계속 다니지 않을까 하는 마음도 있었다.

필라테스를 시작하면서 요가처럼 처음엔 어느 정도 근육통은 각오해야 할 것 같아 그 기간이 얼마나 갈지 걱정이었다. 다행히 새로 개원한 곳이고 처음 시작하는 사람이 많아서인지 운동강도는 세지 않았다. 요가가 유연성과 균형감으로 다양한 자세를 하며 몸과 마음을 수련한다면 필라테스는 기구를 활용해 주로 코어 운동과 신체 교정에 초점을 두는 차이가 있었다.

그렇다고 동작이나 자세가 완전히 다른 것은 아니었다. 비슷한 부분도 많이 있어 2주 만에 적응했고 한 달이 지나자 강사들도 조금씩 강도를 높여 갔다. 기구를 이용해 스쾃 같은 하체운동을 많이 한 날은 끝나고 집에 오는 길에 다리가 후들거렸고 또 플랭크 같은 코어 운동을 한날엔 복근에 힘을 많이 줘서 '에고 에고' 곡소리가 저절로 나왔다. 그래도 운동 후엔 건강을 위해 애썼다는 생각에 뿌듯하고 개운한 기분까지 들었다. 그러다 어느 날 운동 시작 전 몸을 풀고 있었는데 한 분이, "운동하러 나오면서 남편에게 '나 돈 내고 벌 받으러 간다'고 했다."라는 말에 모두 빵 터졌다. 너무나 딱 맞는 말이라서.

필라테스는 연예인들이 SNS에 올리는 사진 속 동작을 하는 줄 알았는데 그런 동작은 정말 촬영용이란 걸 알았다. 실제 수업은 누워서 발뒤꿈치는 붙이고 흡사 예전 과학 시간에 본 개구리해부도같이 다리를 벌리고 있는 자세도 있고 엉덩이를 쭉 빼고 하는 동작들도 많다. 지금 내 핸드폰 배경 화면은 바렐에서 그럴듯한 자세로 있는 모습인데 실장님의 작품이다. 사진을 찍어달라고 부탁했더니 이렇게 하라고 코칭을 해주며 자세를 잡아주어 찍은 것이다.

필라테스를 오래 꾸준히 한다면 또 모르겠지만, 시작한 지 6개월이 지난 지금 수업 중 내가 생각했던 그런 동작은 별로 없고 벌 받는 것처럼 얼굴까지 벌겋게 되며 힘을 주고 버텨야 한다. 그래도 힘들게 버틴 덕분에 하체가 탄탄해지고 몸의 균형도 맞아 가는 듯 해서 만족스럽다.

며칠 전 오랜만에 만난 지인이 전보다 몸이 탄탄해졌다고 했다. 얼굴이 밝아졌다는 말도 듣는데, 여러 이유가 있겠지만 운동도 그중 하나이다. 나는 요즘 만나는 사람마다 "우리 나이엔 운동을 꼭 해야 한다"고 말하고 다니는 운동 전도사가 되었다. 대신 돈 내고 벌 받으러 가는 것처럼 힘들고 내 경우 식구들 저녁을 미리 챙겨놔야 하는 여러 가지 번거로운 상황도 꼭 얘기한다.

2월에 100회 끊은 회원권은 6개월이 지난 지금 30회 정도밖에 남지 않았다. 매주 3일씩 꼬박꼬박 출석한 나의 진득함 덕분이다. 조금씩 변하는 몸을 확인할 때마다 흡족하다. 필라테스를 하며 더 생기있고 밝아졌으며 일을 마치고 집에 오면 축 늘어지던 피곤함도 덜하다. 평상시 자세도 더 쫙 펴지고, 자고 나서 허리가 아픈 증상도 없어졌다. 그리고 나 자신을 위해 애쓰고 노력하는 내가 스스로도 기특해서 이번에 시작한 필라테스는 다른 운동보다 더 꾸준히 하게 될 것 같다.

비 오는 날

놀자

나는 비 오는 날이 싫었다. 특히 대중교통을 이용할 때는 타기 전부터 벌써 힘들다. 빗물이 뚝뚝 흐르는 우산이며 다른 사람에게 훅 풍겨오는 옷을 덜 말린 듯 쿰쿰한 냄새. 폭우에 신발과 양말까지 모두 젖은 날은 축축하고, 곱슬머리는 부스스해져서 지저분해 보인다. 그래서 비 오는 날은 하루를 시작하기 전부터 짜증이 난다. '생각을 바꾸면 행복해진다'라는 말이 있지만 그건 정말 말만 쉽고 실행하기는 어렵다. '비 오는 날도 평범한 여느 날과 똑같다.' 아무리 생각을 바꾸려고 해봐도 여전히 축축하고 찝찝하다. 그러다 하루하루 스트레스받을 일도 많은데 고작 날씨 때문에 내 기분이 좌지우지되는 것이 싫어서 나는 약간의 투자와 노력을 했다.

우선 우산을 바꾸었다. 보통 어두운 단색이나 전체적으로 무늬가 있는 우산을 썼는데 가뜩이나 우울한 기분에 시야를 가리는 것 같아

투명 비닐우산으로 바꿨다. 앞이 환하게 트였고 토독토독 빗방울 떨어지는 소리도 정말 듣기 좋았다. 무게도 적당했다. 묵직한 장우산이나 자동 3단 우산은 짐스러운 데 비해 비닐우산은 가벼웠다. 예쁜 무늬가 있는 우산은 소장 욕구를 불러일으켰다. 특히 아끼는 건 벚꽃 그림이 소복하게 프린트된 우산과 펭수 캐릭터가 있는 노란 테두리의 우산이다. 기분에 따라, 아니면 그날 입을 의상에 따라 분홍 벚꽃 우산을 쓸지 노란색 펭수 우산을 쓸지 고른다. 원피스나 러플이 있는 블라우스를 입는 날은 벚꽃이, 청바지에 면티처럼 편한 옷을 입는 날은 노란 우산이 어울린다. 나에겐 이런 선택 자체가 재미다.

레인부츠도 장만했다. 장화보다는 레인부츠라는 말이 왠지 더 기분이 좋다. 운동화나 양말이 젖는 게 싫었고 레인부츠를 신고 비 오는 날 물웅덩이를 지나면서 아이처럼 참방거리고 걷는 게 좋았기 때문이다. 처음엔 무릎아래까지 오는 길이가 긴 장화를 샀는데 무겁기도 하고, 도중에 비가 그치면 왠지 민망해졌다. 그래서 짧은 길이의 장화를 다시 샀다.

그런데 이건 발목 입구가 넓어 비가 그 안으로 다 들어왔다. 비가 퍼붓듯이 쏟아지는 날엔 똑같이 양말이 젖었다. 한두 번 신다가 신발장에 모셔뒀는데 몇 년 전 검은색 첼시부츠 스타일을 발견하고 바로 샀다. 이 레인부츠는 발목을 조여 안으로 비가 들어오지 않았고 비가 그쳐도 자세히 보지 않으면 레인부츠인지 몰라 민망하지도 않았다. 몇 년이 지났지만 매해 장마철마다 꺼내놓는 아이템이 되었다.

비가 오는 날엔 왠지 그윽한 커피 향도 좋다. 일이 없는 한가한 날이면 혼자서 맘에 드는 비닐우산을 쓰고 레인부츠를 신고 집 근처 카페에서 비 구경을 하며 차 한잔 마시는 시간을 일부러 내기도 한다. 집에 있으면 그것대로 또 좋다. 날이 춥지 않고 비가 거세게 오지 않은 날은 베란다 창문을 열어 빗소리를 들으며 소파에 눕는다. 당장 해결해야 할 일이 산더미같이 쌓여 있어도 빗소리를 들으며 누워있으면, 그 순간만큼은 느긋하고 여유롭게 느껴져서 좋다. 진짜 낮잠을 잘 때도 있지만 그냥 눈을 감고 잠든 척할 때도 있다. 그런 날은 방에서 물을 마시러 나오던 아이도 갑자기 발소리를 죽인다. 냉장고 문을 살살 열어 물도 조심히 따르고 엄마가 깰까 신경 쓰며 살금살금 방에 들어간다. 나를 배려하는 아이의 동작을 상상하는 것만으로도 행복감이 차오른다.

비 오는 날 음식 얘기를 안 할 수가 없는데 메뉴는 역시 칼국수나 수제비이다. 어릴 때 비가 오면 엄마는 큰 냄비에 국물 멸치와 다시마, 숭덩숭덩 무를 썰어 넣어 육수를 낸다. 계량 없이 밀가루와 콩가루를 섞고 눈대중으로 물을 대충 맞추어 손으로 주물주물 한참 반죽한다. 1시간 정도 지나 반죽이 뽀얗고 보들보들해지면 팔뚝만 한 커다란 홍두깨로 반죽을 민다. 얇게 민 반죽은 채 썰어 넓은 채반에 서로 붙지 않게 펼쳐 놓는다.

어린 나는 엄마가 요리하는 모습이 너무 자연스러워 어른이 되면 누구나 자연스럽게 다 칼국수면을 만드는 줄 알았다. 하지만 나는 아직 한 번도 해 본 적이 없다. 정확한 레시피가 없으면 음식을 못하는 성격이라. 그러다 마트에 갔을 때 "감자수제비 가루"라는 걸 팔기에 얼른 집어 왔다. 겉면에 정확한 레시피가 있었기 때문이다. 그 제품을 사용하면 내가 좋아하는 아주 얇은 수제비를 만들 수 있어 항상 집에 준비해 둔다. 나에겐 비가 오면 칼국수 반죽을 밀던 엄마가 떠오르는데 우리 아이에겐 수제비 반죽을 뜯는 엄마가 생각나려나?

아무리 애를 써도 비 오는 게 썩 유쾌하지 않다. 그래도 무작정 짜증부터 나지는 않으니 큰 변화이긴 하다. 늘 쓰던 물건을 바꿔보고 당연하게 넘어가던 사소한 행동들에서 행복함을 찾으려 노력했더니 내 생각이 아주 조금 바뀐 것이다. 앞으로도 비가 오는 날이면 또 다른 소소한 행복을 숨은그림찾기 하듯이 찾아내 봐야겠다.

애완동물 아닌 반려동물과 살아가기

몸짓으로

10년 전 큰아들이 초등학교 4학년일 때의 일이다. 학교에서 돌아온 아이가 다짜고자 이런 말을 했다.

"엄마 우리 고양이 키우면 안 돼? 우리 반에 어떤 아이가 고양이를 분양한대."

나는 아이를 셋이나 키우고 있어서 엄두가 안 났다. 말도 통하지 않는 동물을 하나 더 키운다는 게 보통 일이겠는가? 먹는 것을 챙겨주는 것부터 대소변을 치우는 일까지...

내가 안 되는 이유를 설명하자, 아이는 자기가 다 알아서 하겠다고 했다. 사실 나는 결혼 후 고양이를 키울 생각에 알아보다가 임신하는 바람에 포기한 전력이 있다. 힘들겠지만, 이번 기회에 한번 키워볼까, 하는 마음이 들었다. 가족들한테 얘기했더니 아이들은 신나라 했고 남편은 알아서 하라고 했다.

아들에게 "어디 사진 있으면 보여줘 봐" 그랬더니 아이가 내게서 희망을 보았는지 신나서 사진을 보여 주었다. 다섯 마리의 새끼 고양이들! 정말 사람이나 동물이나 새끼들은 다 이쁘고 사랑스럽다. 네 마리는 소위 말하는 치즈태비(체다치즈색에 줄무늬가 있는)였다. 그중에 까만고양이 한 마리가 눈에 띄었다.

"이 아이로 하겠다고 해"

아이는 내 말을 듣자마자 신나서 친구에게 연락했고 우리 둘은 그 집에 갔다. 근데 전달이 잘못 되었는지, 그 친구가 새끼 고양이를 두 마리나 데리고 나왔다. 애초에 점찍었던 까만 새끼 고양이와 덩달아 함께 나온 노랑 치즈태비. 둘 다 너무 예뻐서 군말 없이 집에 데리고 오고 말았다.

이름은 우리 아이들 돌림자에 맞춰 까비, 쭈비로 지었다. 지내다 보니 둘 마리를 데리고 오길 잘했다는 생각이 들었다. 혼자였으면 외로웠을지도 모른다. 서로 장난치고 노는 모습을 보니 더욱 그런 생각이 들었다. 여행을 잘 다니는 우리 가족이 하루 이틀 집을 비워도 고양이 걱정을 덜 할 수 있었다.

까비는 내 다리에 비비는 부비부비를 잘했고, 발라당, 누워 뒹굴기도 했다. 소위 말하는 개냥이였다. 쭈비는 그런 까비를 멍하니 바라볼 뿐이었다. 마치 "고양이가 사람들에게 잘 보이려 애쓰다니. 쯧쯧. 한낱 집사일뿐인데." 하며 까비를 한심해 하는 것 같았다. 둘은 가끔 장난으로 싸우기도 했는데 언제나 까비가 이기곤 했다. 그러던 어느날, 까비가 집사들에게 사랑받는 모습을 보면서 뭔가 깨달았는지 쭈비도 행동을 따라했다.

"쭈비야! 갑자이 왜 이래. 까비 한심하게 볼 때는 언제고."

내가 말하자 쭈비는 머쓱해하며 일어나 자기 갈 길을 갔다.

쭈비는 올해 10살이 되었다. 사람으로 치면 노인이나 다름없다. 지금도 가끔 원하는 것이 있을 때면 까비가 했던 행동을 따라한다.

"쭈비, 노인네가 뭐하는 거야?"

어쨌든 나는 구시렁거리며 그가 원하는 것을 챙겨준다.

까비는 재작년에 먼저 무지개다리를 건넜다. 유난히 먹을 거를 밝혔는데, 어느 날부터 먹는 것이 신통치 않았다. 그저 창가에 앉아서 바깥을 바라볼 뿐이었다. 나는 단순히 "낭만을 아는 고양이"라며 귀엽게만 보았는데, 어쩜 그는 외로웠을지도 모르겠다. 아픔을 몰라주는 집사가 한없이 야속했는지도 모른다. 몸이 조금씩 말라갈 때도, 여전히 잘 먹으니 어디가 아픈 건 아니겠지, 생각했다. 기력이 없는 것을 더 이상 보고만 있을 수 없어 병원에 데리고 갔을 땐 이미 너무 늦은 상태였다. 의사는 당뇨가 있고 합병증까지 생겼다며, 일단 하루 정도 지켜보고 안 되겠다 싶으면 큰 병원으로 옮겨야 한다고 했다.

나는 한없이 까비에게 미안했다. 까비를 안고 수없이 미안하다는 말만 되풀이할 수밖에 없었다. 까비는 힘겨워 보였고 일단 집으로 데려왔다. 진작에 병원에 데려가야 했다는 후회를 수백 번이나 했다.

"집사야! 나 왜 이렇게 아무것도 먹고 싶지 않다냥? 사료를 먹으면 속이 안 좋다냥. 기운도 없고 늘 피곤하다냥."

나를 보며 "야옹 야옹"하던 것이 그런 뜻임을 눈치채지 못 했다. 고양이들은 새끼일 때나 야옹거리지 성묘가 되면 서로 그러지 않는다고 한다. 그들이 야옹거리는 경우는 사람들과 소통하기 위해서란다.

가끔 나는 고양이들에게 "야! 너희는 10년이나 됐는데 왜 사람 말을 못 해? 아쉬운 건 너희잖아."하며 답답해했다. 구강구조 상 고양이가 사람 말을 할 순 없지만, 그래도 고양이의 마음을 알고 싶었다. 나는 언어 이외에 무엇으로 소통해야 했을까? 내가 고양이에게 아쉬울 게 없다는 이유로, 그들의 야옹소리를 이해하려는 노력을 하지 못 했다. 엄마들이 말 못 하는 아기를 키우며 필요한 게 무엇인지 알기 위해 노력하듯이 나는 고양이에게 그렇게 하지 못 했다.

'집사야 너무 힘들다냥. 난 더이상 견디기 힘들다냥.'

축 늘어진 까비를 보며 나는 그저 미안한 마음뿐이었다.

'까비야, 미안해. 정말 미안해'

잘 못 먹고 토하는 까비에게 영양을 보충할 수 있는 방법은 오로지 주사기로 조금씩 입에 넣어주는 것이었다.

'못먹겠다냥. 제발 나를 놔주라냥.'

까비는 잘 받아먹지를 못 하고 결국 모든 것을 토해내고는 끝내 우리 곁을 떠났다. 그 커다란 눈에 눈물이 맺혔다. 내 눈에서도 눈물이 나왔다. 오랫동안 투닥거리며 정이 들었나 보다. 까만 털과 눈동자가 너무나 예쁜 우리 까비... 가족 모두 까비 주변에서 모여 애도했다. 그리고 까비 형제인 쭈비를 불러 인사하게 했다. 쭈비는 어떤 마음이었는지 무심하게 지나갔다.

'까비 녀석. 힘들어하더니 차라리 잘됐다냥. 이제 편해졌겠다냥.

아 나도 얼마 안 있으면 저렇게되는 거냥?'

까비의 죽음을 쭈비는 애써 외면하고 싶었던 걸까?

이렇게 처음으로 우리는 반려동물과 이별을 하게 되었다. 반려동물도 장례식장이 있다는 걸 처음 알았다. 9월 아직 더울 때라, 까비의 몸을 천으로 잘 감싸고 아이스박스에 넣었다. 다음날 아침, 우리 식구는 장례식장으로 향했다. 직원들과 수의와 관을 어떻게 할지 상의했고 화장하기로 결정했다. 화장을 마치니 보석처럼 예쁜 돌덩어리가 몇 개 나왔다. 뼛가루를 굳혀 돌처럼 만든 것으로 이를 '스톤'이라 불렀다. 우리는 이것으로 보석처럼 목걸이로 만들기도 한다. 유골함에 뼛가루와 스톤을 담아 집으로 가져왔다.

집 거실에는 까비 사진과 유골함이 있어 언제든지 까비와 함께 있는 느낌이다. 우리가 까비를 기억하는 한 그는 우리 마음속에 살아 있는 것이다.

혼자 남은 쭈비는 잘 먹어대기 시작하더니 뚱냥이가 되었고 먹는 것에 집착했다. 마치 잘먹어야 오래 산다고 생각한 걸까. 까비가 떠났지만 쭈비 곁에는 '하룻강아지 범 무서운 줄 모르는' 길냥이 출신의 우비가 있었다. 우비는 캣맘이 입양을 부탁해서 새끼 때부터 키운 세 살 정도 된 고양이다. 까비가 떠나기 전부터 같이 살았는데,

어르신 고양이들한테 겁없이 집쩍대곤했다. 그러면 쭈비는 참고 참다 솜방망이질을 했다. 이제 우리 집엔 우비와 쭈비만 남았다.

우비는 가끔 나에게 혼나곤 해서 나만 보면 피하더니 언제부터인가는 소파에 앉아서 도전적인 눈빛으로 나를 쳐다본다.

“뭐 나한테 불만있냥?”

나는 그 눈빛을 못마땅해하며 “저리 비켜. 나 거기에 앉을 거야.” 하고 우비를 밀쳐 낸다.

“알았다냥. 그렇지 않아도 일어나려고 했다냥.”

우비는 순순히 자리를 비켜준다.

쭈비가 야옹야옹거리면 사료와 물이 제대로 있는지 확인하고 챙겨준다. 그럼에도 불구하고 다시 야옹거린다.
“물이 식었다냥. 나 늙어서 차거운 거 못 먹는다냥. 이가 시리다옹”
내가 따뜻한 물을 가져다줄 때까지 시위하듯 야옹거릴 태세다.

“노인네 기다려 . 따뜻한 물 가져다줄게. 그만 울어대라.”
“아까부터 울어댔는데 넌 들은 척 만 척 했다냥. 줄 때까지 울어댈

거다냥"

"으이그 노인네 모시기 힘드네"

서로 완벽하게 소통할 순 없어도, 그동안 살아온 정으로 서로가 원하는 것을 이해하려고 한다. 아니다. 아무리 생각해도 나만 고양이들이 원하는 것을 이해하려고 하는 듯하다. 쬐금 아주 쬐금 억울하다. 그래도 할 수 없다. 까비가 떠나갈 때 자책 속에서 한동안 괴로워했던 순간들을 떠올리며 좀 더 예민하게 그들의 몸과 마음을 살펴봐야겠다.

연하가 어때서. 있는 그대로 봐주세요!!!

몸짓으로

"뭐라고? 아홉 살 연하라고..."

"너 걔가 남자로 보이니?"

"야 너 되게 능력 좋다~ 좋겠다~"

내가 처음으로 주변의 지인들에게 아홉 살 연하의 남자를 사귄다고 했을 때 그들이 보였던 반응이다. 그렇다. 현재의 내 배우자는 아홉 살 연하다. 서울 빈민 지역의 공부방에서 그와 처음 만났다. 나는 공부방 실무자였고 그는 이웃 공부방의 자원 교사였다. 그 공부방 자원 교사들과 잘 어울리게 되었고 친해졌다. 그중에서 유독 그와 자주 만나게 되었다. 1998년 8월! 유난히 비가 많이 왔고 이를 핑계 삼아 자주 만났다. 나는 많이 외롭고 힘들 때라 그에게 마음을 털어놓곤 했다. 그만큼 그가 편했던 나는 장난처럼 애인하자고도 했다. 하지만 그가 속으로 조용히 나에 대한 사랑을 키워가고 있는 줄은 몰랐다. 나는 그가 지극정성으로 나를 사랑하는 모습에 끌렸다.

3년 정도 연애를 하면서 보통의 연인들처럼 헤어질 뻔한 적도 있었지만, 그 위기들을 잘 극복하면서 사랑을 키워나갔다. 우린 나이 차이를 느낄 수 없을 만큼 취향이 비슷했다. 예를 들자면 좋아하는 노래, 가수, 식성 그리고 비를 무척이나 좋아한다는 것 등. 그리고 동시에 같은 생각을 하고 이를 표현한 적도 많아서 깜짝 놀라곤 했다. 그가 아플 때 나도 아팠고 반대의 경우도 마찬가지였다, 그래서 신기해하며 전생에 우리가 쌍둥이 아니었을까 생각했다.

2000년 12월31일 우리는 남해의 비진도라는 작은 섬으로 여행을 가게 되었다. 그곳은 일출과 일몰을 볼 수 있는 곳이라 했다. 그 해의 마지막 해가 지고 있었고 이를 등지고 그가 말했다.

"나와 결혼해 줘."

그 말에 쉽게 '좋아'라고 말할 수 없었다. 그냥 "생각해 볼게."라고 한마디 하고 돌아섰다. 나는 30대 중반의 자유로운 영혼의 소유자였고 결혼에 대한 환상이 많이 깨진 터였기 때문이다. 연애는 여러 번 했으나 결혼을 하고 싶다는 생각은 없었다. 그냥 평생 연애만 할 상대만 있다면 결혼하지 않았을지도 모른다.

그날 밤 그와 깊은 대화를 나누었고, 다음 날 떠오르는 해를 바라보면서 가슴이 벅찼다. 그 해처럼 내 가슴 속에 뭔가 새로운 희망이 솟아나는 것 같았고 그는 나에게 평생 나와의 약속을 꼭 지키며 살겠노라고 했다. 그런 것들이 결혼에 대한 나의 마음을 열게 해 주었다. 그러면서 우리는 서서히 결혼을 준비했다.

과정은 예상대로 순탄치 않았다. 양가에서 반대가 심했다. 친가에서는, 아버지께서는 언제나 날 지지하고 응원해 주셔서 별 무리 없었지만, 엄마가 "그 어린애가 불쌍하지도 않냐?"시며 반대하셨다. 특히 그의 집에서 반대가 심했는데, 나도 이해는 되었다. 그 집에서 잘난 아들이었고 소위 말하는 어려운 환경에도 불구하고 우리나라에서 손꼽히는 상위권 대학에 갔으니 말이다. 결국 시어머니께서 내게 따로 전화하셔서, 둘만 만나게 되었다.

"도대체 이게 말이 된다고 생각하니? 너희 부모님은 뭐라고 하시니?"

"아버지는 별말씀이 없으시고 어머니는 반대하시긴 합니다."

"네 아버지께서 정신이 나가셨네."

"아버지에 대해 함부로 말씀하지 마시죠. 저희 아버지는 저를 사랑으로 키우셨고 언제나 절 응원하고 지지해 주시는 분이십니다."

"아니, 네가 그 나이에 생산능력이 있겠니? 정말 이건 말도 안 되는 일이야."

나는 더 이상 대화가 어렵다고 느꼈다.

“더 이상 할 말이 없네요. 이제 아드님과 더 얘기하시고 이런 문제로 다시는 만나는 일은 없었으면 합니다.”

나 역시 불쾌한 감정을 드러냈다. 시어머니는 “정말 당돌하구나.”라며 기가 막히다 하셨고 그렇게 우리는 30여 분 만에 대화를 끝냈다. 충분히 예상했던 일이었고 이해는 가면서도 기분은 나빴다. 가족까지 건드리면 안 되는 거였는데 말이다. 나는 근처에서 기다리고 있던 그를 만나 말했다.

“더 이상 이런 일이 없게 해. 네 선에서 해결하면 좋겠어.”

그는 미안해하였고 근처 술집에서 한잔하며 나를 위로해 주었다.

지금은 지인들에게 “아, 그때 아침드라마에 나오는 것처럼 돈 봉투를 줬으면 깨끗이 물러났을 텐데… 그걸 안 주시더라고.”라고 농담할 정도로 여유가 생겼지만, 그땐 더없이 불쾌했다. 미성년자도 아니고 이삼십 대의 성인들이 잘살아 보겠다는데 여자인 내 나이가 많다는 이유로 결혼을 반대해야 했을까?

그의 집에서는 좋은 말로 설득하다가 안 되니 묘수를 썼다. 우리가 결혼하면 시부모님들이 이혼하겠다는 이야기도 나왔고, 점괘가 아주 안 좋게 나왔다는 말도 했다고 한다. 이런 온갖 회유와 협박에도 그는 흔들림이 없었고 결국 우리는 결혼했다.

사람들이 어떻게 9살 연하랑 결혼할 수 있었냐고 물으면 나는 농담처럼 말한다.

“내가 연애를 네 번 했는데, 첫 번째는 두 살 연상, 두 번째는 동갑, 세 번째는 네 살 연하, 이 사람이 아홉 살 연하였어. 이 사람이랑 헤어지면 열두 살 연하 만날까 봐 서둘러 한 거야.”

그러고 보니 나는 어려서부터 나보다 어린 사람들과 잘 어울렸다고 한다. 장녀라서 그런지 어린아이들 데리고 골목대장 노릇 하면서 칼싸움도 하고, 때로는 예방주사 맞으러 가자고 부추기기도 했다고 한다. 어린 사람들과 어울리는 게 어려서부터 편했던 것 같고 연애도 그렇게 하게 된 것 같다.

그리고 시어머니의 ‘걱정’과 다르게 나는 세 아이의 엄마가 되었다. 이건 나도 예상치 못한 일이었다. 친정엄마는 시어머니의 “네가 무슨 생산능력이나 있겠냐”는 말에 어깃장을 놓느라 세 명이나 낳은 것 아니냐고 의심한다. 그때만 해도 나는 아이들을 좋아하는 편이 아니었고 그저 그와 둘이 친구처럼 살고 싶은 마음뿐이었다. 결혼

전 혹독한 시집살이를 예상했었는데 별 무리 없이 20여 년의 결혼생활을 잘 이어가고 있다. 재미난 일은 배우자의 형이 같이 살고 있는 사람이 형보다 열 살 연상이라는 것이다. 어쩜 이렇게 형제가 연상의 여성들을 좋아하는지 부모로서 기가 막힐 수도 있겠다. 시어머니는 처음에 황당해하며 반대하다가 결국 받아들이고 말았다.

내가 이렇게 힘들게 결혼하다 보니 우리 세 아이만큼은 그들의 선택을 존중해 주고 싶다. 어쩌면 그게 당연하지만 말이다. 살아가면서 힘든 일도 많을 텐데 부모의 편견 때문에 힘들지는 않았으면 좋겠다.

'몸짓으로'라고 불러줘

몸짓으로

내가 활동하는 모임들에서는 나의 닉네임은 '몸짓으로'이다. 하지만 다른 곳에서는 누구누구 엄마라든지 우리 부모님이 내게 지어준 이름으로 불리운다. 내가 둘째 낳고 산후 우울증으로 힘들어할 때 서울에서 하는 '춤과 움직임사이'라는 수업이 있어 호기심이 생겨 수강하게 되었다.

그동안 나는 춤추는 것을 좋아했는데, 신나는 음악에 맞춰 몸을 흔들어 대는 것이었다. 그런데 이 수업에서는 음악도 없이 내 안에서 느껴지는 자연스러운 움직임을 즉흥적으로 끌어내는 것이었다. 선생님이 "내 몸이 붓이라 생각하고 이 공간에 그림을 그려보세요." 라고 말하면 그에 따라 나만의 움직임을 만들어 내는 것이다.

머리가 아닌 몸이 먼저 반응하여 움직임을 만들어 내는 것이 느껴졌다. 내가 있는 공간을 도화지로 상상하고 나의 몸짓으로 그림을 그려내는 것이다.

이 수업을 들으면서 굳이 음악이 없어도 자연스럽게 움직임이 가능해졌다. 움직임은 자연스럽게 춤이 되었고 사람들과 같이 어우러질 때는 굳이 말하지 않아도 충분히 소통이 되는 것을 느낄 수 있었다. 몸과 몸이 만나 움직임이 되고 이는 춤이 되기도 한다. 그 속에서 언어 이상의 소통이 되는 경험을 하면서 몸짓의 매력에 빠지게 되었다. 몸이 움직임을 만들면서 춤이 되었다. 그 춤 속에 한 사람의 삶이 담겨있음을 보았고 경험하였다. 사람들과 함께 움직이다 보면 서로 기대기도 하고 멀어지기도 하는데 그것이 꼭 우리네 삶같이 느껴지도 한다. 그런 과정을 거치면서 '몸짓으로'는 내가 세상과 소통하는 수단이고 주체적으로 살고자 하는 나의 새로운 이름이 되었다.

17년 전 여성단체에서 활동할 때 일본군 '위안부'를 위한 수요시위를 준비하면서 공연을 했다. 그 공연을 준비하면서 공부도 하고 할머니들도 만나면서 일본군 '위안부' 할머니들을 잊지 말자고 했다. 그 약속을 지키기 위해 마음 맞는 사람들과 잊지 않겠다는 다짐으로 공연을 하기도 했다. 이는 내가 앞으로도 오랫동안 계속될 세상에 이야기하고자 하는 언어 이상의 몸짓이다.

나와 가장 가까운 관계인 가족은 나를 '여보' '자기' '엄마'라고 부른다. 이들에게도 나는 몸짓으로'라고 불리길 원한다. 그것은 몸짓으로 살겠다는 나의 삶을 인정해 주고 응원해 주는 것이기 때문이다. 그런데 그렇게 불러달라고 말하지 못 했다. 왜 나는 그들에게 그렇게 말할 용기가 없는 걸까? 그 누구보다 내가 사랑하는 사람들인데 말이다. 엄마, 아버지에게는 서로 너무 어색해 못할 수 있다고 치지만 내 남편과 아이들에게는 왜 말 못하고 있는 걸까? 어쩜 남편은 가능할지도 모르겠다. 그런데 오랫동안 불러왔던 호칭을 쉬 고치진 못할 것 같다. 그래도 한번 시도는 해봐야겠다.

세 아이들은? 첫째는 성인이 됐으니 가능할 것도 같은데 아직 내게 엄마의 모습을 많이 찾는 듯하다. 스스로 뭔가를 하기보다 뭔가 챙겨주길 바라고 의지하고 싶어 한다. 그래도 성인과 성인으로서 마주 보고 설 수 있을 듯하니 시도해 볼 만하지 않을까?

아이들도 우리가 지어준 이름이 아닌 다른 이름으로 불리고 싶을지도 모르겠다. 그러고 보니 올해 고2가 된 둘째는 자기 이름에 대해 늘 불만이었다. 흔한 이름도 아니고 형 이름과 헷갈리기도 해서이다. 그래서 집에서 불리고 싶은 이름이 뭐냐고 물어봤다. 그랬더니 요즘 교회를 다니더니 '요셉'도 괜찮다고 했다. 요셉이라니… 내가 성당에 다닐 때 주로 할아버지들에게 붙여진 세례명이었다고 하니 그럼 뭘 할까 다시 고민이다. 그래 불리고 싶은 마땅한 이름이 생각나면 그때 가서 이야기하렴.

아직 아이들은 내게서 엄마를 원하고 있고, 나 역시 그들에게 엄마이고 싶어서 쉽게 '몸짓으로'라고 불러달라고 말하지는 못한다. 아이들이 좀 더 편하게 생활할 수 있도록 먹는 것에서부터 때로는 이동하는 것까지 케어하려고 한다. 때로 그것이 스스로 독립하는데 방해가 된다는 걸 알면서도 말이다.

그러나 언젠가는 '몸짓으로'라고 불러달라고 할 날이 올 것이다. 그날은 내가 엄마로서 자식으로부터 독립하는 날이 될 것이다. 자식이 부모한테 독립해야 하듯 부모도 자식으로부터 독립해야 한다. 세 아이를 키우면서 참으로 버겁다고 느낀 적이 많았고 지금은 조금 나아졌을 뿐이다. 가끔 아이들이 힘겹다고 느껴질 때 "왜 아이도 별로 좋아하지도 않는 나에게 아이를 셋이나 주셨습니까?"라며 하늘을 원망하다 픽 웃어버리곤 한다. 결국 그 모든 책임은 나에게 있는 것인데 남들보다 늦은 나이에 결혼했으면 자식에 대한 계획도 세웠어야 하는 거 아닌가? 스스로 무책임했던 나를 반성하며 이왕 낳은 자식들 그들에게 최선을 다해 후회없도록 해야겠다며 스스로 다독인다.

세 아이 모두 성인이 될 때까지 그들에게 엄마로서의 삶을 살다 그들이 성인이 되었을 때 "00아, 이제 너도 성인이 됐으니 나에게 이제부터 엄마라고 부르지 말고 몸짓으로라고 불러줘."라고 자신있게 말할 수 있었으면 좋겠다. 나에겐 용기가 필요한 일이다. 그 용기는 내가 자식으로부터 독립하겠다는 마음을 표현한 것이기 때문이다. 아이들 역시 우리가 지어준 이름보다 자기가 불리고 싶은 이름으로 지었으면 좋겠다. 그렇게 우리는 서로에게서 독립하는 주체가 될 것이다.

나이듦을 배우다

몸짓으로

'나이듦을 배우다.' 이전에 읽었던 책 제목이다. 내가 스물일곱 되던 해에 잠에서 깨어나면서 들었던 생각!

'아 나도 이렇게 늙는구나. 이제 죽을 날도 얼마 남지 않았네'

지금 생각하면 웃음이 나오지만, 그때는 그랬었다. 사람들이 말하는 삼재, 아홉수라는게 나에게는 스물일곱에 온 듯하다. 당시 사진을 보면 꽤 늙어 보인다. 오히려 더 나이를 먹고서 나이보다 어려 보인다는 소리를 들었다.

그 스물일곱에 적상건선이라는 심한 피부병을 앓았고 어렸을 때 수술했던 다리도 아팠고 이래저래 우울한 한 해를 보냈던 듯 싶다. 심지어 그때 달달했던 첫 연애마저 깨지기도 했다. 그런 힘든 시간을 겪어서 그렇게 보였던 걸까?

그런 내가 마흔이나 쉰 넘은 나의 모습을 상상이나 했을까? 하지만 어느덧 40을 넘기고 50도 가뿐히 넘기고 말았다. 열정이 많고 뭐든지 열심히 하고자 하는 내가 두려웠던 것 중에 하나가 나이 들어 그런 마음이 식으면 어쩌나 하는 거였다.

그리고 완경이 가까워지는 시점에서 생리통도 앓지 않았던 내가 마치 아이를 낳는 듯한 통증을 느껴야 했다. 그로 인해 의자에 제대로 앉을 수 없어 엉거주춤하며 그 통증이 가라앉길 기다려야 했다. 이것이 그동안 오랜 친구였던 생리와의 이별을 아쉬워하는 내 안의 몸부림이었던 것 같다. 그래서 우울한 나날을 보내던 중 완경에 관한 책을 읽게 되었다. 그러다 나와 같은 경험을 하고 고민하는 사람들과 완경에 관한 토크를 하면서 힘을 받을 수 있었다.

이후 새로운 기운을 얻어 내가 할 수 있는 일들을 찾아나가기 시작했다. 내가 나이가 있는데 과연 무얼 할 수 있을까? 이렇게 나이 많은 나를 누가 뽑아주기나 할까? 그런 의문들을 떨쳐버리고 내가 할 수 있는 일들을 찾아 나섰다.

세 아이를 돌보느라 못했던 경제 활동도 찾아보았다. 생각보다 만족스럽게 그 일들을 찾았다. 3년 전 추석 무렵, 집 근처에서 초등학교 협력교사를 모집한다는 공고를 보았다. 나이 제한이 없었고 내가 가지고 있는 교원자격증과 예전에 아이들을 가르쳤던 경험들이 도움이 될 것 같았다. 그래서 편안한 마음으로 지원서를 냈는데 합격했다. 첫해 내 역할은 기초학습능력이 부족한 아이들을 돕는 것이었다. 한글을 모르거나 더하기 빼기가 잘 안되는 아이들을 옆에 앉아 학습을 도왔다.

그런데 지금은 정서적으로 불안정한 아이들로 인해 수업 진행이 어려워 그 아이들을 케어하는 일을 주로 한다. 수업 시간에 돌아다니며 친구들을 이유 없이 툭 치고 못된 말을 하고 그런 아이를 제지하면 선생님에게 욕하기도 한다. 그리고 수업 중 몰래 교실 밖으로 나가면 뛰어가서 아이를 데리고 와야 한다. 이건 안전의 문제와도 직결되기 때문이다. 그러다 보니 집에 돌아오면 녹초가 되어 침대에 누워버린다.

그런 아이들을 보면서 그들의 심리가 궁금해졌고 심리학을 공부하고 싶다는 생각도 들었다. 내가 낳고 키우는 세 아이들 때문에 마음 고생하면서도 늘 해온 생각이다. 그러다 내가 이 나이에 무슨 새롭게 공부를 할 수 있을까, 하는 생각에 망설여지기도 했다. 그런데 어떤 할머니가 60대에 그림을 배우고 싶었는데 나이 때문에 포기했다가 90세가 돼서 후회했다고 한다. 결코 무엇을 시작하기에 늦은 나이는 없다는 말을 듣고 한번 시도하게 되었다.

폭풍검색 끝에 대학교 평생교육원에서 심리학 강좌를 찾았고 잽싸게 등록했다. 1학기, 2학기 나누어서 진행하는데 1학기는 이론 중심이고 2학기는 실제 중심으로 사례에 대한 강의가 진행되어 재미있게 강의를 들을 수 있을 듯하다.

한참을 망설이다 보면 아무 것도 못하고 시간만 보내게 되지 않을까? 무엇이든 하고 싶은 게 있으면 일단 시도해보고 정 안되면 할 수 없는 거 아닌가? 내 삶이 앞으로 얼마나 남았는지 모르겠지만 생각만 하지 말고 시도를 해보자고 마음 먹는다. 한때 행동대장, 말보다 행동이 앞서는 사람이라는 말을 듣지 않았던가? 지금 이 나이에 새로운 열정을 가지고 뭔가 시도한다는 것은 나의 삶에 생기를 불어넣는 일이다. 마치 내 안에서 조금씩 꺼져가는 불빛을 그런 시도들이 살려내는 느낌이 든다. 나이를 먹는 것이 두렵기도 하지만 주변에 나와 같이 나이를 먹는 사람들이 있기에 그 두려움을 떨칠 수 있을 듯하다.

몇 년 후, 내 나이의 앞자리 숫자가 달라지는 순간이 다가올 것이라 떨리기도 하지만, 그전에 파티를 열어 볼까 한다. 60대를 잘 맞이하기 위한 오구오구(5959)파티를 해볼 생각이다. 나와 같은 나이대의 사람들과, 이들을 응원하는 사람들이 모두 함께 두려움을 떨쳐버리고 설렘 가득한 나이듦을 배우는 그런 파티 말이다.

네 자매라고? 응, 내 자매들이야!

보랑

헐레벌떡 저녁밥을 챙겨 먹고 서둘러 집을 나온 이유는 동네 친구들과 만나 놀기로 한 약속 때문이었다. 그런데 눈치도 없는 녀석... 2살 어린 바로 아래 동생이 같이 놀자며 나를 따라오는 게 아닌가? 얄밉고 싫었다. 하지만 그 자리에서 동생과 함께 나가기를 거절한다면 '언니가 되어서 동생을 챙기지 않는다'며 부모님께 한 소리 듣게 될 것이 분명했다. 만일 일이 더 꼬이기라도 할라치면 아예 나가 놀지 못하게 될 수도 있었기 때문에 나는 더욱더 신중해야만 했다.

좁고 기다란 골목길을 요리조리 잰걸음으로 한참을 뛰고 돌아가며 간신히 동생을 따돌렸다. 서럽게 울며 나를 찾는 목소리가 잘 들리지 않게 될 때까지 나는 뛰고, 숨고, 다시 뛰고를 반복했다. 언니를 부르다 지쳐 돌아가는 울음소리가 희미해질수록 나는 고소했다. 그리고 꽤 괜찮은 묘수를 발휘했다며 나 자신을 칭찬했다. 그 더웠던 1986년 어느 여름날, 밤늦도록 정말 신나게 놀았던 기억이 난다.

친구들은 하나나 둘뿐인 동생이 왜 내겐 셋씩이나 있는 걸까? 그것도 하필이면 모두 여동생이라서 동네 사람 누군가는 '아들 바라고 계속 낳은 거 아니야?' 하며 넘겨짚거나 수군거리는 거 같았다. 내가 초등학교에 다니던 시절엔 '아들딸 구별 말고 적게 낳아 잘 기르자'라는 구호가 방송에서 심심치 않게 들렸고, 가끔은 비슷한 내용의 포스터가 전봇대에 붙어있기도 했다. 우리 부모님은 왜 시대가 외쳐대는 방향을 거스르며 사는 촌스러운 사람들인가 생각했다. 그래서 형제가 많은 게 더 부끄러웠는지도 모르겠다.

어릴 적 우리 집은 아빠의 외벌이 만으론 빠듯한 살림이라 엄마도 집 근처 공사 현장 식당 일에서 일을 도왔다. 그래서 일요일을 제외하고는 낮에 집을 비우는 시간이 많았고, 네 자매에겐 눈치 보지 않고 놀 수 있는 시간이 많았다. 하지만 힘든 일을 끝마치고 돌아와 지친 엄마 눈에 청소나 정리가 제대로 안 된 집안의 모습은 절대로 그냥 넘어갈 일이 아니었다. 깔끔한 엄마 성격을 알기에 혼이 나는 건 이해할 수 있었지만, 내가 듣는 야단과 꾸중은 이상하게도 1에 가까웠다. 형제가 넷이니까 분명 1/4씩 혼이 나야 맞는 건데... 이치에 맞지 않는 엄마의 계산법이 억울하게 느껴졌다. 그뿐만이 아니다. 다 같이 파를 다듬자고 모이랬는데, 내 앞에 놓인 파 뭉치가 제일 뚱뚱하다. 양파 껍질을 벗길 때에도, 만두를 빚을 때에도 비슷한 식이다.

내가 동생들보다 손이 빠르기는 했지만, 살짝 많은 것도 아니고 전체 파 양의 절반 가까이가 내 몫이라니? 동생들이 내게 파를 더 얹어 준 건 아니다. 하지만 공정하지 않은 엄마의 셈법이 어린 나에게 동생들을 미워하거나 귀찮아할 이유를 제공했던 건 분명한 사실이다.

중고등학교에 들어가서는 자매들에게 평화가 찾아왔을까? 아니! 절대 그럴 리가 없었다. 옷이나 신발 혹은 아끼는 소지품들 때문에 '자매들의 난'이 자주 벌어졌다. 심하게 싸울 땐 교복 예쁘게 차려입은 여학생들이 웬 말, 주먹으론 성에 안 차서 발까지 날아간다. 말과 욕으로 할퀴는 건 일상이고, 뾰쪽한 손톱을 휘두르며 서로의 피부에 상처를 내기도 했다. 머리끄덩이를 잡아당겨 한 움큼씩 내던진 적도 있었는데, 지금 생각하면 너무 우습고 창피한 일이다.

6살이나 차이 나는 막냇동생과는 그 어느 날의 전투 때문에 지금 우리 둘 다 머리숱이 적은 거라며 키득거린다. 누구의 머리카락이 더 많이 뽑혔는지 서로 다른 기억을 다투며, 두피관리를 잘한다는 미용실에 관한 정보를 공유하기도 한다. 딸들 넷이 늘 싸우기만 하지는 않았을 텐데, 이상하게도 재미나고 행복했던 기억보다 서로 으르렁대던 기억들이 선명하다. 아빠나 엄마에게 조금이라도 더 잘 보여야 얻어 내는 것 또한 많았으므로, 동생들과 보이지 않는 경쟁도 많이 했었다. 어린 시절 복닥복닥이며 치열하게 자란 나의 자매들… 그때는 그녀들의 존재가 어른의 세상을 살면서 이렇게 든든하고 큰 위로가 되리란 것을 상상조차 하기 어려웠었다.

엄마는 2009년 첫 대장암 투병을 씩씩하게 마친 후 안심하고 있다가, 7년 만에 두 번째 암세포를 만났다. 이번엔 훨씬 더 세고 강한 놈이었다. 항암과 방사선 치료를 여러 차례 병행했지만, 결과는 엄마의 완패였다. 담당 의사 선생님은 엄마에게 현재 느끼는 통증이 1부터 10 사이 중에서 어느 정도 되느냐고 물었다. 엄마는 오래 고민하지 않고 8 정도라고 대답했다.

"아, 네... 그동안 많이 아프셨겠어요."

긴 한숨을 천천히 나누어 쉬며 의사 선생님은 조심스럽게 말했다. 암세포가 이미 여러 곳으로 전이되어 수술은 큰 의미가 없을 것 같다며, 가족들과 잘 상의해서 통증 완화 의료를 진행하는 것이 어떻겠냐는 소견이었다.

2018년 10월 3일은 엄마가 호스피스 병동에 입원한 지 3주가 조금 못 되어 맞는 첫 공휴일이다. 약속대로 우리들은 가족사진을 찍기 위해 엄마 집 근처 사진관에 한 집, 두 집, 세 집, 네 집 차례차례 모여들었다. 이제는 딸 넷이 모두 졸업하고, 취직도 하고, 결혼해 아이도 낳고. 엄마와 아빠 두 사람으로부터 비롯된 자그마했던 가족이 17명이나 되는 대가족이 되었다.

병원에서 사진관까지는 기껏해야 7~8km쯤 되려나. 하지만 엄마에겐 입원한 후 첫 장거리 외출이었다. 말기 난소암 판정을 받은 엄마의 체력을 살살 달래가며 열심히 사진을 찍어 보았다. 어른들은 점점 지쳐 표정이 어두워지기 시작한 엄마 눈치를 살피며 촬영기사의 주문대로 바쁘게 움직였다. 그러나 어린 손주, 손녀들에게 외할머니와 함께 찍는 마지막 가족사진은 그리 긴장하거나 심각할 일이 아니었나 보다. 아이들의 시선과 표정이 다 제각각인 데다가, 제일 어린 조카는 울음을 터트리기까지 했다.

간신히 촬영을 마치고, 수십 장의 사진들을 반복해서 돌려봐도 모두가 만족스럽게 잘 나온 사진 한 장 찾기가 어려웠다. 결국은 엄마와 아빠가 자연스럽게 나온 사진에다가 아이들이 예쁘게 웃는 사진을 서로 합성하는 방법으로 촬영과 액자 사진 선택은 마무리가 되었다. 이제 가족여행이라도 떠나려면 미니버스 한 대는 불러야겠다고 너스레를 떨어 보았다. 말하면서도 나는 생각했다. 다음 여행에 아마도 엄마는 같이 하지 못할 것이다. 슬픔은 꾹꾹 눌러 감춘 채로 체력이 바닥난 엄마를 부축하고 걸었다.

사진관을 나와 아이들은 모두 남편들과 아빠에게 맡기고, 다섯 명의 여자들은 엄마의 단골 금은방으로 향했다. 자주 끼지 않던 팔짱을 엄마와 껴본다. 그것도 오른쪽, 왼쪽 가장 가까이 걷는 두 딸에게만 허락되는 호사다. 호스피스 입원을 결정하던 날, 엄마는 그동안 모아두었던 금붙이를 네 명분으로 나눠 우리가 원하는 액세서리로 만들어 주겠다며 카톡을 보냈다. 엄마도, 나도, 동생들도... 이 시간이 엄마가 우리 곁을 떠나가기 위한 하나의 준비 과정이라는 걸 알고도 모른 척했다.

"이게 예쁠까? 저게 예쁠까?"
"요거 좋다. 이 디자인이 너한테 제일 잘 어울려."

웃어야 할지, 조금 울어도 될지... 도통 마음을 잡기 힘들었다. 다행히 금은방 사장님은 가발을 착용한 엄마에게 깜박 속은 듯했다. 오랜만에 화장을 곱게 하고 와서 가게 매출을 올려주는 단골손님에게 사장님은 "딸이 많아서 너무 좋으시겠어요. 금도 더 많이 모으셔야겠다."라는 농담도 건넸다.

사진관에서부터 이미 지친 엄마를 위해 우린 최대한 빨리 결정해야 했다. 나는 평소에도 즐겨 찰 수 있도록 요란하지 않은 디자인의 팔찌와 장미 문양 귀걸이를 만들기로 했다. 동생들도 결정이 끝났다. 엄마가 오랜 시간 고이 모아온 반짝이던 것들이 4개의 주문서로 쪼개어져 네 명의 딸들에게로 전해졌다. 이번 엄마의 나누기 계산엔 아무런 불만도 없다. 네 자매는 자기 몫을 감사하게 받았다.

2주가 좀 더 지났을까. 가족사진 액자도, 다시 세공을 맡긴 액세서리도 완성되었다는 연락을 받았다. 엄마는 액자를 받아 든 며칠

동안 다른 환자나 간병인, 간호사들에게 가족사진을 보이며 자랑을 하셨다. 무소식이 희소식이라며 전화 통화도 아주 가끔, 멀지도 않은 엄마 집엔 주로 밥을 얻어먹으러나 갔었다. 하지만 이젠 엄마와의 시간이 얼마 남지 않았다는 걸 느낄 수 있었다. 우리들은 엄마의 병문안 출석부를 만들었다. 딸 1에서부터 사위 4까지, 손주 1에서부터 손주 7까지, 출석률을 핑계로 경쟁이라도 하듯 엄마를 만나러 갔다. 하루하루 지나갈수록 엄마의 식사량은 눈에 띄게 줄었고, 식사량에 반비례 그래프를 그리며 엄마의 몸은 마르고 약해져만 갔다.

'우리 엄마는 정말 열심히 잘 살아온 사람이에요. 엄마는 우리 가족에게 너무 소중하고 귀한 사람이에요.'라고 자랑하고 응원할 방법은 그저 엄마의 병실에 매일 찾아가는 것뿐이었다.

"너무 좋으시겠다. 다복한 가정이네요. 딸들이 많아 얼마나 좋으시겠어요?" 이런 칭찬의 말에 기대어, 엄마는 아프고 두렵지만 암과 맞서고 있었을 것이다. 딸들 역시도 다가오는 엄마의 마지막 순간이 막막하고 두려웠지만, 혼자가 아니라 넷이라 너무 다행이라면서 서로 손을 맞잡고 다독였다. 만일 나 혼자 참고 견뎌내라면 눈물로만 가득했을 한 달이었다. 출석부 빈칸에 사인이 채워질수록 엄마는 서서히 더 가늘고 여려졌다. 아프고 아파도 눈꺼풀을 꿈...뻑...이며 마지막 힘을 다해 우리 이야기를 들어주었다. 딸들 덜 미안하라고, 조금만 후회하라고 한 달을 더 기다리며 우리를 맞아주었다. 그리고 호스피스병동 맨 끝자리 가족실로 옮겨진 날에 차례로 우리와 인사를 나누고는 하늘나라로 떠나갔다.

한 달 전, 십여 분 남짓 네 명의 딸들과 오붓이 걸으며 엄마는 이야기했다.

“아빠가 외아들이라서 아들을 낳고 싶다는 마음도 솔직히 있었지. 그런데 이북이 고향인 할머니, 아빠에겐 가족도 친척도 별로 없잖아... 너희들끼리라도 나중에 외롭지 않게, 서로 의지하며 재미있게 살라고 자식을 많이 낳은 거야.”

내 촉촉해진 눈가를 들킬까 봐서 동생들 얼굴까지는 살피지 못 했다. 그네들도 나와 비슷하지 않았을까? 팍팍한 살림에 몸조리도 제대로 못 해 온 관절이 다 망가진 채, 2년마다 아이를, 그것도 네 번씩이나 낳은 엄마가 너무나 측은했다. 표현에 인색하고 억척스럽기만 하다고 엄마를 오해했던 게 한없이 미안했다.

우리 네 자매는 김포 풍무에서 검단을 지나 청라, 그리고 루원시티까지, 차로 움직이면 40분 이내로 닿을만한 가까운 거리에 모여 산다. 명절이나 엄마의 기일, 어버이날이나 아빠 생신 등 굵직한 행사가 아니어도 두어 달에 한 번쯤 넷이 모인다. 둘이나 셋이 나누어서는 훨씬 더 자주 만난다. 자식 키우는 고민, 아빠 걱정, 엄마 생각,

재테크 이야기, 남편이나 시댁 흉보기, 연예인 가십 등...그날그날 하는 얘기는 다 다르지만, 친구처럼 때론 또 동지처럼 그렇게 마음을 보태고 엄마의 손때를 나누어 묻혀 본다. 물론 어릴 적 그때처럼 말싸움하거나 감정이 상해 사이가 틀어질 때도 가끔 있지만 말이다.

'왜 그렇게 자식을 많이 낳았대?' 흉을 보았는데. 그러고 보니 엄마를 닮아 그런가, 나도 아이를 넷씩이나 낳았다. 어느덧 우리 엄마는 안아 보지 못한, 외할머니 얼굴을 알지 못하는 나의 네 번째 아이가 태어나 4살이 되었다. 지난달엔 첫돌을 맞은 막냇동생의 딸까지 생겼다. 한 명만 더 채우면 20명인데, 조금은 아쉬운 수의 '대단한 가족'이 되었다. 구성원에 커다란 변화가 생겼으니 가족사진을 다시 찍고, 엄마가 예쁘게 나온 사진을 합성해야 할까나... 얼마 전 만난 동생들과 이야기를 나눴다.

"엄마! 그곳에서 잘 지내고 있지요? 좀 더 자주 엄마와 함께 걷지 못해 너무 미안해요. 그리고 엄마를 같이 추억할 수 있는 동생들을 셋이나 만들어 주어서 정말 고마워요."

'일찍 깨닫고 엄마에게 직접 말할 수 있었다면 얼마나 좋았을까.'

짙은 아쉬움이란 이런 걸 말하는가 보다.

귀신을 보았다.

보랑

다다다다닥…"아아~아~악… "

높은 소프라노 톤의 비명을 지르며 2~3계단씩을 한 번에 마구 뛰어 올라갔다. 설령 교복 치마가 틑어진다 한들 그까짓 걸 걱정할 여유는 없었다. 가쁜 숨을 몰아쉬며 눈물 범벅이 되어 3층에 도착했다. 신발도 날리듯 벗고 집 안으로 뛰어 들어갔다.

"으허어엉~ 어떻게 해, 나 어떻게…"

계단 통로를 타고 울리는 발소리가 얼마나 다급하고 또 요란했었는지 초저녁잠이 많아 일찍 잠들고 나면 누가 업어가도 모른다는 엄마까지도 부스스 일어나 거실로 나왔다.

"왜 그래, 무슨 일이니? 누구...이상한 사람이 쫓아오기라도 했어?"

"저기... 밖에, 저기...엄마, 공중전화...거기 귀신이 있어...흐흐흐윽..."

"아빠 거기 귀신...귀신이 다리가..."

우리집은 6차선 대로변에 있는 상가주택 3층이었다. 계단을 내려가 몇 발자국만 걸으면 바로 버스정류장이 있고, 거기서 조금만 더 걸으면 공중전화기도 있었다.

방에서 기다리고 있다가 창문 저 멀리 파란색 버스 앞머리가 보이면 후다닥 달려 내려가 탈 수 있었던 곳, 창문을 열어 놓고 잠이 들면 새벽녘 어스름한 가로등 불빛 사이로 환경미화원 아저씨의 봉빗자루질 소리가 스윽스윽 들리던 곳, 깜박 놓고 나온 물건이 있어도 식구들을 창가로 불러내 받아 낼 수 있었던 곳, 무엇보다도 삐삐가 오면 음성 메시지를 확인해야 하던 그 시절엔 더욱 매력을 발하던, 낭만과 편리성을 두루 갖춘 곳이었다. 그 일이 있기 바로 전까지는... 그랬다.

그날 밤도 나는 야간 자율학습을 마치고 0시 5분에 출발하는 하교 셔틀 봉고차를 탔다. 졸리고, 만사 귀찮고, 제발이지 집이 이리로 와줬으면 좋겠다 싶을 즈음이면 도착이다. 내가 내리고 난 후 셔틀은 다음 코스를 위해 좌회전을 해야 한다. 그 때문에 나는 바로 집 앞 정류장이 아니라 100m 좀 못 되는 앞 삼거리 쪽에 미리 내려서 보도블록을 따라 1분 정도 걸어야 했다. 워낙 짧은 거리였고 대게는 피곤함에 절어 별다른 생각 없이, 시선도 딱히 어디에 두지 않고 기계적으로 걷는데... 그날따라 걷다 말고 고개를 왼쪽으로 돌려 공중전화부스를 쳐다봤다. 그러면 안되는 거였는데 왜? 대체 왜?

시커먼 사람의 실루엣이 보였다. 둥그스름한 머리에 길쭉한 몸통, 스치듯 지나치려는데 순간 차가운 공기에 기분이 싸했다. 이상한 느낌에 뒤를 돌아봤다. 분명 공중전화 부스 안에 사람이 있는데, 수화기를 들고 있는 걸 보니 통화도 하는 것 같은데...시선이 아래로 아래로 내려갈수록 내 심장은 우퍼 달린 스피커라도 된 것처럼 더 크게 요동쳤다. '이럴 수가' 다리가 없다. 눈을 크게 깜박이고 난 뒤 다시 쳐다봤지만 아무 소용 없었다. 사람의 다리가 보이질 않는다.

운동회의 꽃, 계주 릴레이 경기가 한창인 트랙 위 마지막 주자인 나를 한 번 상상해 보자. 반 바퀴 이상 뒤쳐져서 도저히 따라잡을 수 없을 거라며 다들 포기한 경주였다. 싱겁던 결말이 예상되었던 경기 막바지에 드디어 내가 등장한다. 보고 있어도 믿기지 않는 초스피드로 한참을 앞선 상대 팀 선수를 따라잡고 역전하는 드라마의 주인공...

“아아아아악~ 엄마~~ 하아~…”

나는 죽을힘을 다해 뛰었다. 원래도 달리기가 제법 빠른 편이었지만, 그 순간은 정말 전속력으로 내달렸다. 하지만 실상은 달랐다. 분명 최고 속력으로 뛰었지만, 아이러니하게도 집에 도착하는데 걸리는 시간은 그 어느 날보다도 길었다.

거실로 들어와 부모님 얼굴을 보니 눈물이 왈칵 쏟아졌다. 놀란 눈으로 왜 그러냐고 묻는 엄마, 아빠에게 뭘 어떻게 설명해야 할지 입이 떨어지질 않았다. 온몸이 딱딱하게 굳은 채로 부르르 떨린다. 목소리도 따라 흔들렸다. 엄마가 건넨 미지근한 물을 받아 마시고 조금 진정이 된 후에야 목소리가 나왔다.

“공중전화 부스에 귀신이 있어요. 그런데 다리가 없어.”

“너 요새 공부 좀 한다고 늦게 자고 해서 기운이 약해졌는가 보다. 으이구… 잘못 본 거야. 천천히 물 좀 더 마시고 진정해. 나쁜 일 당한 줄 알고 깜짝 놀랐네. 에효, 귀신은 무슨…”

“그래, 고 3이라고 많이 예민해졌구나. 원래 사람이 힘들고 하면 헛것이 보이기도 하고 그래. 괜찮아, 괜찮아. 오늘은 일찍 자…응?”

엄마, 아빠는 좀 많이 황당하다는 표정을 지으면서도 번갈아 나를 안정시켜 주려 애썼다. 하지만 놀란 마음과 떨리는 몸은 쉽게 진정

되지 않았다.

'귀신을 봤다는데 이보다 무섭고 끔찍한 일이 또 어디에 있다고...'

얼마의 시간이 지났을까... 다행히 눈물은 멈췄다. 내가 뭘 잘 못 본 거라고 스스로 최면을 걸어 봤다. 엄마 아빠는 방으로 들어가셨고, 내일 학교에 가야 하니 나도 어떻게든 잠을 청해보려 애썼다. 하지만 눈을 감는 것이 무서웠고, 잠이 드는 건 더 무서웠다. 다리 없는 그 시커먼 귀신이 자꾸 생각나서 또 눈물이 났다. 분명히 봤는데, 잘 못 본 거라고 나를 속이며 잠을 청하는 건 불가능한 일이었다.

"똑똑! 아빠~! 나랑 같이 나가서 공중전화 있는 데에 가보면 안 될까? 다시 확인하지 않으면 잠을 못 잘 거 같아요."

아빠는 피식 웃으면서 흔쾌히 가보자고 했다. 1층까지 내려가는데 다리는 후들후들, 1분이 1시간 마냥 길게 느껴졌다. 귀신에게 다시 가까이 가고 있는 그 순간에도 다시 가보는 게 맞는 건지, 아니면 이대로 헛것을 본 거라 믿고 넘어가는 게 맞는 건지... 갈팡질팡 심장은 계속 나대고 있었다.

아빠를 앞세워 걸었다. 다행히 집 쪽에서 보는 공중전화 부스는 아까보다 밝았다. 이번엔 부스 안이 아니라 바깥에 누군가 있다. 그것도 두 명씩이나...

'휴~ 다행이다. 다리가 있어...' 얼굴을 지나 몸으로 내려가던 내 시선이 그들의 다리 쪽에 닿았을 때 나를 이상하게 쳐다보고 있던 둘 중 한 명이 내게 먼저 물었다.

"그런데 아까 왜 그렇게 뛰어간 거예요?"

심각한 내 표정을 참지 못하고 터져 나온 그의 웃음을 듣고 있자니 도통 감을 잡을 수가 없었다.

"좀 전에도 여기서 전화하고 계셨던 거 맞죠?"

내 모든 용기를 박박 긁어모으고, 아빠를 방패 삼아 덜덜 떨리는 목소리로 물었다.

"네에~. 막 소리지르면서 달려가는 거 다 봤어요. 도대체 왜 그런 거예요? 왜?"

그는 오히려 나에게 되물었다.

"다리가 없었잖아요 아까는... 다리가. 내가 다 봤어요."

"네? 다...리요... 아아~~ 알겠다. 큭큭, 자 한 번 보세요."

그 남자는 공중전화 부스 안으로 다시 들어가더니 허리 높이쯤에 뱅 둘러진 은색 안전바에 엉덩이를 걸치고 앉았다. 그러고는 전화기가 놓여 있는 삼각 모양 철판 지지대에 한쪽 다리를 척, 나머지 다리도 그 위로 가로질러 척 차례로 올렸다. 그랬더니 남자의 두 다리가 감쪽같이 사라지는 게 아닌가...

'이거였어? 다리 없는 귀신의 존재가?'

기가 차고 어이가 없고, 그 와중에 창피하고, 한편으론 정말 다행이다 싶어 기쁘고, 웃을 수도, 울 수도 없었던 그날의 기억이 내겐 지금도 생생하다.

실체를 증명할 수는 없지만, 귀신을 봤다는 사람들의 경험담을 듣고 있자면, 나 역시도 등골이 오싹해진다. 어두컴컴 비가 오는 날이면 교실의 아이들은 무서운 이야기를 해달라며 조른다. 좀 빼는 척하다가 '전설의 고향-내 다리 내놔' 편에 버금가는 각색을 더 해 '선생님이 고3 때 진짜 귀신을 봤었잖아...' 너스레 떨며 이야기를 시작한다. 무섭다고 소리 지르고 귀를 막으면서도, 긴장이 가득한 아이들의 눈빛은 나와 함께 그날 밤 공중전화 부스 속으로 빠져들어 간다. 천둥 번개가 거들어 주기라도 한다면, 눈물을 찔끔 보이는 아이도 있을 정도다.

꽤 오랜 시간이 지난 일이지만, 그날 밤 그래도 내가 참 잘했다고 할 만한 것은 아빠와 함께 귀신을 확인하러 간 일이다. 만약 다시 나가보지 않고 억지 잠을 청했더라면, 그 다리 없는 귀신은 마음이 약해지거나 몸이 피곤한 날에 때때로 찾아와 나를 괴롭혔을지도 모른다.

'귀신이 아니라던 그들은 정말 사람이었을까? 아니면 사람인 척 나를 놀린 귀신들이었을까?'

아니라는 대답을 듣긴 했었지만, 그 날밤 나를 휘감았었던 공기는 지나치게 차가웠다. 여전히 의심을 떨칠 수는 없는 이유이다.

JEJU Se1. 너는 ‘사랑’

보랑

“제주의 시크릿 가든을 아시나요?”

퇴근길 라디오에서 자신을 여행 칼럼니스트라 소개하는 남자의 목소리가 들린다. 몇 분 걸리지도 않는 가까운 거리를 평소보다 느리게 달렸다. 이미 주차장에 도착했지만, 차에서 내리지 않고 남자의 이야기를 끝까지 귀에 눌러 담았다. ‘그래 올겨울엔 다 같이 제주로 가는 거야!’

방학이 시작되고 며칠 후, 우리 가족은 제주도로 날아갔다. 서둘러 렌트를 했다. 그리고 서쪽 바다를 오른쪽 옆구리에 끼고 달리다 창문을 내리고 바다 냄새도 맡아 본다. 내비게이션은 애월의 여러 윗마을을 지나는 길로 우리를 안내했다. 한 30분쯤 지났을까? 중산간서로를 꼬불탕꼬불탕 돌고 넘어 드디어 납읍리 막다른 골목 끝자락 비밀스러운 숲, 우리의 목적지인 납읍 난대림에 도착했다. 인천이었다면 ‘추워 죽겠다’라는 말이 절로 나오고도 남을 1월 중순의 차디찬 날이었다.

난대성 식물과 상록수들이 우거진 숲속에 나무 데크로 짜여진 아늑한 산책길이 놓여 있다. 하늘은 맑고 또 푸르다. 집에서 챙겨온 두꺼운 외투가 무색하리만치 온화한 날씨다. 빽빽하니 들어찬 키 큰 나무들 잎사귀 사이로 빛이 내려온다. 신비롭고 비밀스러운데 깍쟁이 같지는 않은 이 따뜻한 느낌이 '제주의 시크릿 가든'이라는 별명과 딱 맞았다. 숲은 원시 정글처럼 자유분방하다. 하지만 바람이 샐 틈 없이 정돈되어 있어 포근했고, 적당히 시원했다. 난대림(정식 명칭은 금산공원)을 휘릭 여유로운 걸음으로 돌아 내려오니 파란 지붕의 작은 학교가 눈에 들어온다.

낮고 길쭉한 2층짜리 건물, 천연 잔디가 빽빽이 깔린 운동장, 시크릿 가든을 앞마당처럼 끌어안은 알록달록 예쁜 색으로 칠해진 모습이다. 나의 아이 셋은 벌써 운동장의 트랙을 달리고 있다. 껄껄 깔깔 인천에서는 본 적 없는 넓은 운동장에 애들 웃음소리가 퍼져나간다. 직업 때문인지 나는 어느 나라, 어느 도시를 가도 학교 구경하는 걸 좋아한다. 학교 건물 밖 풍경은 이미 만족 기준 초과다. 학교 안과 교실 모습도 궁금해졌다. 목을 쭉 빼고 중앙 현관 쪽을 바라봤다. 역대 교장 선생님의 사진이나 교목, 교훈이 적힌 지루하고 빛바랜 사진이나 액자는 보이지 않았다. 대신에 전교생 아이들의 사진과 장래 희망이 적힌 커다란 입간판이 걸려 있었다. 대충 세어보니 5~60명쯤 되는 것 같았다. 도시에서는 3개 반도 채우지 못할 적은 수의 아이들이 오롯이 이 학교, 이 넓은 운동장의 주인이라니 부럽기 그지없었다.

안으로 들어가 볼까 말까 서성거리고 있는데 웬 노신사가 나와서 무슨 일로 왔느냐고 물었다.

"저도 인천에 있는 초등학교에서 근무하고 있어요. 학교가 너무 좋아 보여서 구경을 좀 하고 싶은데요..."

납읍초 교장선생님과의 즉석 학교 투어가 시작되었다. '시골 아이들이 해봐야 뭘 얼마나 잘하겠어?' 은연중 시골 아이들을 얕잡아보는 마음이 있었던 건지, 예상치를 뛰어넘는 학습 결과물 수준에 깜짝 놀랐다. 교실 세 칸은 족히 되어 보이는 널찍한 도서관엔 책이 빼곡했고, 계단식으로 만들어진 무대 공간도 보였다. 급식실도 최신식, 전교생이 다도를 하고 유도도 배운다며 교장 선생님의 학교 자랑은 끝이 없다. 나는 이미 홀딱 반했고, 우리 아이들도 이런 자그맣고 아름다운 학교에 보내리라 마음먹었다. 아니 아이들은 핑계다. 생계형 주부의 팍팍한 삶을 잠시 벗어나서, 느릿느릿 걷고, 보고, 먹고, 놀고 싶었다고 말하는 게 훨씬 솔직한 건지도 모르겠다.

내가 상상하는 시골은 온화하고도 생기가 넘치는 곳이다. 느리게 달려도 급할 것 없고, 자연이 주는 계절의 신비로움을 넘나들며 구수하고 푸근한 사람들과 함께 어울리는 곳 말이다. 어린 시절 방학이 끝나고 나면 시골 할머니 댁에 다녀왔다는 친구들이 그렇게 부러울 수가 없었다. 큰 도시에서 나고 살아서인지 풀이나 나무, 꽃 이름도 잘 모른다. 벌레나 곤충은 또 얼마나 무서운지 내 근처로 날아들기라도 하면 쇠 긁는 비명소리가 절로 난다. 깔끔하고 편리한 도시 생활에 딱히 불만이 있는 건 아니다. 하지만 내 아이들만큼은 어린 시절 초록 초록한 들판에서 실컷 뛰어놀았으면, 계절 따라 변하는 햇볕과 바람을 느끼면서 좀 자유롭게 키우고 싶다는 생각을 오랫동안 해왔다. 아이들과 놀기 좋은 산과 들과 바다를 품은 많은 후보지가 있었으나 제일 끌리던 곳은 역시나 제주도... 대학 3학년 때 처음 가본 5월 제주는 꽤나 매력 있고 강렬해서 이곳의 사계절이 몹시도 궁금했었다.

오래된 내 바람과 희망에 한 여행 칼럼니스트가 불을 지폈다. 평화롭지만 모든 아이에게 주인공으로서의 참여가 보장되는 제주도 작은 학교, 아이들을 위한 제주도의 교육투자와 아름다운 환경에 대한 확신이 들었다. 무더운 여름이나 차가운 겨울에 잠시 여행 와서 머무르는 것 말고, 제주에서의 사계절을 다 느껴보리라 마음먹었다. 그리고 바로 제주로 이주할 준비를 시작했다. 3년 내내 남편과 함께 제주로의 교환 근무를 신청했지만, 번번이 실패했다. 그다음 방법은 나와 아이들만 일단 제주로 내려가는 것이다. 공항에서 1시간 이내로 닿을 만한 거리의 덜 습한 중산간 마을, 4식구 때론 5식구가 그럭저럭 살만한 집, 다양하고 내실 있는 교육 프로그램이 운영되는 학교, 외지인에게 야박하지 않은 마을 분위기 등을 두루두루 살폈다. 그리고 마침내 애월읍에 봉성리라는 마을 어도초등학교에 아이들을 보내기로 했다.

한 학년에 한 반씩 전교생이 80명 남짓한 아담하고 예쁜 학교 어도초는 매년 학생 수가 줄어드는 탓에 인근 초등학교와 통합 위기에 놓였었다. 이 작은 학교를 살리기 위해 마을 사람 누군가는 땅을 내어놓고, 또 누군가는 건축비를 보태고, 다른 누군가는 타 지역에 학교를 알리느라 손품을 열심히 팔았다고 했다. 그렇게 해서 학령기 아이들을 데리고 이주하는 외지인 가정에 새집을 저렴하게 임대해 준다는 공고를 냈다. 마을과 학교에다가 지원 서류를 보냈고, 관계자들의 면접까지 통과한 후에야 아이들과 나는 봉성리민이 될 수 있었다. 동쪽으로 갈까, 서쪽으로 갈까. 성산, 구좌, 애월의 다른 마을에도 비슷한 과정을 거쳐 입도할 기회가 있었지만 남편의 반대와, 거주여건 등의 이유로 포기하다 4번째 시도만에 드디어 확정이 된 것이다. 오랜 시간 소망하던 일이 이루어진 기쁨은 말로 다 표현할 바가 아니었다. 초1, 3, 5학년 전입 아동을 셋이나 두었으니 속으로는 마을과 학교 그들이 오히려 더 기쁘고 감사했을지도 모르겠다.

제주 우리 집은 전국 각지에서 모인 12가구가 모여 사는 한 동짜리 빌라의 맨 위 4층이었다. 도시에선 어디 명함도 못 내미는 나 홀로 빌라겠지만, 나는 이곳 삼춘들에게 '구몰리동 길 건너 아파트에 이사 온 새댁'이라고 불렸다. 아파트도 좋고, 새댁이라는 호칭은 더 기분 좋다. 아침 8시 10분쯤 거실 창을 내다보면 브로콜리 밭, 양배추 밭을 지나 학교로 줄줄이 걸어가는 우리 빌라 아이들의 모습이 보이기 시작한다. 나의 1, 2, 3호도 걷다 뛰다, 뭔가 줍고 던지고...

깔깔대고, 저러다 학교는 어느 세월에 가나 걱정이 되기도 하지만 결국 구경꾼인 나도 아이들을 따라 웃고 있다. 뜨거운 믹스 커피 한 잔 타서 들고 누리는 이 아침의 호사가 너무도 행복했다.

부모님 도움 없이 부부 둘이서 2년 터울의 아이들 셋을 키우는 일은 무척이나 벅찬 일이었다. 나도 예쁘게 화장하고 우아하게 걷고, 고상하게 말하는 사람이 되고 싶었지만, 언제나 시간에 쫓겨 뛰어야 했고, 피곤에 절어 먹기도, 씻기도 귀찮을 때가 많았다. 비슷한 또래의 아이들을 키우며, 나와 유사한 목적을 가지고 같은 시기에 입주한 12가정은 서로의 아이들을 함께 챙겼고, 동지애가 싹텄으며, 이웃사촌 이상의 육아 공동체가 되어갔다. 휴직을 하고 나니 비로소 아이들이 등교하는 뒷모습을 볼 수 있었고, 아이들이 하교하면 집에서 맞아줄 수 있었다. 엄마의 소소한 행복을 나도 맛보게 된 것이다.

한 학년에 딱 1개 반, 10명 안팎의 아이들이 앉아 있는 교실에서는 구경만 하다 오는 소외된 아이들이 없었다. 풍물, 승마, 탁구, 코딩, 게이트볼, 중국어 등 마음만 먹으면 치열한 경쟁 없이 참여할 수 있는 동아리와 방과 후 활동이 넘쳐났다. 하교 후엔

"바다 갈까?"

"좋아요!" 사인만 맞으면 금방이라도 차를 몰아 물가에서 실컷 놀 수도 있었다. 주말엔 손님처럼 다녀가는 아빠와 함께 올레길도 걷고, 다니지도 않는 절에 점심을 먹으러 가기도 하고, 마을이나 도에

서 주최하는 행사, 공연, 전시 등도 곧 잘 찾아다녔다. 여행객에게 소문난 맛집도, 도민만 아는 숨겨진 맛집도 북적대는 시간을 피해 다녀올 수 있었던 것은 덤이고 말이다 .

처음 떠나올 때 약속했던 1년은 너무나 빠르게 지나갔고 나와 아이들은 마을과 학교에 정이 듬뿍 들었다. 크고 작은 마을 일에 진심을 담아 참여하다 보니 좋은 평판과 솔깃한 제안이 따르기도 했다. 우리 가족을 따뜻하게 받아준 이곳이 고맙고 너무 소중했다. 3년 넘도록 제주행을 반대하던 남편도 이대로 인천에 돌아가기엔 너무 아쉽다는 데에 동의를 해주었고, 그렇게 우리들의 제주살이는 한시적으로 연장되었다.

다시 한번의 사계절...더 속속들이 제주를 돌아다녔다. 나도 아이들도 많은 것을 경험하고 배우면서 힐링의 시간을 가진 듯하다. 온 가족이 모두 이주해서 이곳에 뼈를 묻고 싶다 소망하기도 했지만, 직장으로의 복귀 문제와 휴직 중 두 집 살림을 하는데 따른 경제적 손실, 아이들 진학 문제와 엄마의 난소암 재발 등 현실적인 여건이 허락하지 않았다.

더는 제주살이에 고집을 피울 명분이 부족했다. 2018년 2월이 거의 끝나가던 날엔 종일 진눈깨비가 날렸다. 그리고 우리는 이주 동기들 중 제일 처음으로 공동주택을 퇴거해 인천 집으로 돌아왔다. 명절이나 방학 때 잠깐씩 역방향으로 인천에 다녀가긴 했었지만, 절반 이상의 마음을 제주에 남기고 와서 그런가 돌아온 우리 집엔 그리 마음이 붙질 않았다.

주머니 달린 앞치마를 두르고 여린 고사리 줄기를 찾아 두 눈을 부릅뜨던 봄날 새벽에서부터, 그 어떤 유명 작가의 얼음조각보다 반짝이고 예뻤던 1,100고지 상고대를 사진 속에 담느라 바빴던 겨울날까지... 나에게 제주는 사랑스럽지 않을 때가 없었다. 아이들은 이따금 "엄마 우리 그때 제주도에서 재미있었는데 그렇죠?" "제주도에 데려가 주셔서 감사합니다." 말을 하기도 하고, 제주에 관한 기사나 사건 이야기에 귀를 쫑긋 세우기도 한다. 큰 녀석은 학교에서 자유 발표 주제로 4.3 사건을 골라 몇 날 며칠을 준비하기도 하고, 나는 그곳에서의 인연들과 가끔 소식을 주고받으며, 제주에서 올려보낸 제철 먹거리들을 감사하게 받아 먹기도 한다. 너무 지치고 힘들어서 아무것도 하기 싫었을 때 내가 제주로 떠나갔던 것처럼, 내 아이들도 세상을 살아가다 지치고 힘들 때 잠시나마 떠올려 볼 만한 편안하고 즐거웠던 한때를 제주에서 보냈다는 것이 너무도 감사할 따름이다. 그리고 매일매일 그립다. 가끔씩 구글 포토가 불러내어 주는 6~7년 전 제주의 생활은 그저 나를 미소 짓게 한다.

'인천이 내가 태어나 자란 고향이라면, 제주 너는 내가 선택한 마음의 고향이란다. 아무리 생각해도 제주 너는 사랑!' 생각만으로도 나는 또 설렌다.

JEJU Se2. 꽃은 피어나리

보랑

“청소한 자리에 꽃이 피어나요. 당신의 꽃으로 아름다운 제주를 만들어 주세요”

우연히 페이스북 속 보라색 수국이 그려진 쓰레기봉투가 눈에 띄었다.

2016년 봄, 세 명의 아이들과 함께 제주도로 내려와 정신없이 지내던 때였다. 내가 제일 좋아하는 보라색에, 또 언젠가 마당 있는 집을 갖게 되면 정원 한쪽에 심고 싶었던 수국꽃이었다. 취향을 제대로 공략당한 덕에 스크롤을 죽 내려 페이지를 벗어나는 대신에 오히려 게시글을 꼼꼼히 읽어 보게 되었다. 다음 정화 장소는 바로 공항 근처 용담포구였다. 용담 포구는 제주의 서쪽 바다 중에서도 낙조포인트로 유명한 용담 해안도로를 따라 카페가 즐비한 곳이다. 다시 말하자면 제주도를 찾는 관광객이라면 누구라도 한번은 지나는 곳이다. 때문에 종일 많은 사람들에게 시달리는 곳이기도 하다.

당시 제주도는 한창 이주 바람이 거세게 불어서 육지에서 많은 사람이 유입되고, 풍경에 어울리지 않는 건축물들이 불쑥불쑥 생겨나고 있었다. 나 역시 이주민이긴 하지만, 이 아름다운 곳이 급작스레 변해가는 모습을 보면서 이젠 사람들이 더 이상 들어오지 못하게 막았으면 좋겠다는 생각을 했다. 제주의 밭에서는 감귤과 브로콜리, 당근과 함께 건물도 자란다는 우스갯소리에 씁쓸한 마음마저 들 지경이었다.

수국과 청소라… 누가 이런 생각을 처음 했을까 하는 호기심에 글들을 거슬러 이전의 기록을 찾아보았다. 페이스북에 청소할 날짜와 시간, 장소가 올라오면 별도의 신청이나 회원 가입 등의 절차 없이 원하는 누구나 현장에 나와 자유의사로 쓰레기 줍기에 참여한 것이 캠페인의 시작인 듯했다. 처음엔 제주도에 거주하는 외국인 단체가 시작했고, 2015년부터는 제주 패스라는 여행회사가 사내 봉사활동으로 합류해 좀 더 체계적으로 운영이 된 것이라 했다.

'과연 이번 주엔 어떤 사람들이 모여 어떻게 쓰레기를 줍고, 그곳에서 아이들은 무얼 배울 수 있을까?' '나도 한 번 나가보자!' 마침 남편도 금요일에 아이들 보러 온다고 했으니 손님을 위한 이벤트도 필요했고, 아이들에게 직접 보고 경험하는 것만큼 좋은 환경교육이 또 있을까 싶었다. 신청 댓글을 달고 함께 사는 이웃들과의 단톡방에 시간이 되면 함께 가자는 이야기도 꺼내 놓았다.

토요일 오후 2시 약속된 시간에 용담 포구로 나갔다. 예쁜 보라색 꽃이 그려진 현수막과 긴 테이블이 보였다. 신청자 이름을 말하고 준비된 장갑, 집게, 그리고 쓰레기봉투를 받았다. 이제 2시간 동안 포구 주변의 쓰레기를 주워 봉투에 담으면 되는 거다. 주택에서 우리 집을 포함해서 네 집이 함께 참여했는데, 아이들은 마치 나들이를 나온 듯 깔깔대며 바위 위 여기저기를 뛰고 넘었다. 놀고 있는 건지 쓰레기를 치우고 있는 건지 헷갈리기도 했지만, 그 무엇이었든간에 아이들은 정말 열심이었고 즐거운 얼굴이었다.

그보다 심각하고 놀라운 일은 정말 다양한 종류와 많은 양의 쓰레기가 끝도 없이 나오는 것이었다. 테이크아웃 컵, 깨진 병 조각, 라이터, 각종 플라스틱 조각, 파도에 휩쓸려 온 듯한 거대한 건축 폐기물들...처음엔 재미있다던 아이들도 한 30분이 지나자 땀을 주룩주룩 흘리기 시작했다. 커다란 나뭇조각이나 두꺼운 밧줄 뭉치는 여럿이 함께 들어 올려야만 겨우 옮길 수 있었다.

누가 이 많은 쓰레기를 바다에 버렸을까? 커피를 마시고, 떨어지는 붉은 해를 구경하고, 멋진 사진만 남길 줄 알았지 양심 따윈 없는 사람들이라며 속으로 막 거친 욕을 한 바가지씩 뱉어주었다. 쓰레기를 줍다 좀 쉬다 보니 어느덧 2시간이 지나갔다. 활동 종료 시간을 알리는 목소리에 우리는 쓰레기봉투를 둘러메고 처음 도착했던 장소로 움직였다. 쓰레기봉투가 무거워져서 낑낑대며 올라오는 아이들도 있었다.

캠페인 본부 테이블 앞에 사람들이 들고 온 쓰레기봉투가 줄을 지었다. 신기하게도 쓰레기가 가득 차 빵빵하게 부풀어진 쓰레기봉투엔 어느새 보라색 수국이 활짝 피어나 있었다. 모인 사람들은 서로에게 칭찬을 담아 따뜻한 눈인사를 나누었고, 모두의 수고에 박수를 보냈다. 공통의 관심사를 가진 사람들이라 그런지 잘 알고 지내온 친구인 듯 가깝게 느껴졌다. 흐뭇한 마음으로 밝게 웃으며 기념사진도 찍었다. 아이들은 'I ♡ JEJU'가 새겨진 하얀 티셔츠도 선물로 받았다. 오늘 우리가 제주 바다에서 건져 올린 쓰레기들은 비록 보잘것없는 적은 양이지만, 다음 달에도 그다음 달에도 다시 만나자는 인사를 나누고 그들과 헤어졌다.

땀도 식힐 겸 근처 도두봉에 올라 제주공항 활주로를 바라보았다. 2~3분이 멀다 하고 뜨고 내리는 비행기가 보였다. 몇몇 비행기는 자기의 이륙 순서를 기다리느라 줄을 서 있기도 했다. 날씨가 좋으니 뛰노는 아이들이 신이 났나 보다. 점프샷도 찍고, 댄스 장기 자랑도 열어 보았다. 벤치에 누워 파란 하늘은 올려다보면서 아이들 노는 소리를 한참 들었다. 이 아이들에게 아름다운 제주의 바다, 숲과 언덕을 오래도록 보여주고 싶다 생각했다.

용담 해안도로를 시작으로, 우리 가족은 제주에서 지내는 2년 동안 함덕 서우봉, 한담 해안산책로, 애월 돌염전, 이호테우 해변, 화순 곶자왈, 구엄 해변 등 총 7번의 '클린 앤 플라워' 캠페인에 참여했다.

인천에 돌아온 첫해 나는 6학년을 가르치게 되었다. 1년 행사 중 6학년 담임 교사로서 가장 힘들고 중요한 몇 가지 일은 중학교 배정 원서작업과 졸업식, 그리고 바로 수학여행에 관한 것이다. 5월로 계획된 수학여행 날짜를 확인하고 순간에 바로 나는 클린 앤 플라워 활동을 떠올렸다.

동료 선생님들 모두 흔쾌히 동의해 주었다. 학교에서도, 제주 패스 측에서도 반기며 적극적인 지원을 해주었다. 그리고, 수학여행 2일차 오후 중문 색달해변 산책 일정에 200여 명 아이들과 쓰레기 줍기 캠페인을 함께 할 수 있었다. 유명 관광지나 체험 테마파크만 다니지 않고 자연을 돌보는 시간을 잠시 가졌던 것이 아이들과 선생님들 모두에게 조금은 특별했었길 기대한다. 우연히 보게 된 큰아이의 일기장 속 용담 포구의 기억이 특별했던 것처럼 말이다.

이후로도 나는 제주도에 관한 소식에 꾸준히 관심을 가지고 살고 있다. 내가 살던 마을이나, 여러 기관들로부터 심심치 않게 다양한 소식을 전해 듣고 설레기도 한다. 제주 패스 페이스북도 그중 하나였는데, 안타깝게도 2018년 5월 쇠소깍에서의 활동 이후로 클린 앤 플라워 캠페인에 관한 공지는 없다. 아무 소리 없이도 자연을 보듬고 살아가는 사람들이 제주도엔 여전히 많이 있을 테지만, '한 입 건너 두 입'이라고 요란 떨고 소문내면 좋을 텐데... 아쉬운 마음을 떨칠 수 없다.

멀지 않은 날에 나는 다시 제주에 가고 싶다. 몇 년을 살다 돌아올지, 인천을 떠나 완전히 그곳에 정착하게 될지는 알 수 없다. 분명한 건 그때엔 조금 더 시끄럽게, 또 더 많은 사람과 같이 제주를 보살피며 살고 싶다는 것이다. 제주의 꽃들아. 더 많이 예쁘게 피어나렴!

작가의 말

바람 (심혜진) 참여 작가

글쓰기 수업을 해온 지 10년이 다 되어 갑니다. 글 쓸 때 힘든 이유는, 좋은 문장을 못 써서가 아니라 내 마음을 나도 잘 모르기 때문인 것 같아요. 일상에서 느낀 복잡미묘한 감정을 글이라는 제한적인 도구로, 논리에 맞게 정리해서 표현한다는 게 어쩌면 애초에 불가능한 일인지도 모르겠습니다. 그 어려운 글을 술술 읽히게 쓴다는 건 어떤 걸까요. 첫 문장을 읽었을 뿐인데 어느새 마지막 문장까지 내달려 읽게 되는 글. 그런 글을 흔히 '쉽게 썼다'고 말하곤 하죠. 하지만 에세이를 써 본 사람은 알아요. 가장 쓰기 어려운 게 '쉬운 글'이라는 것을요. 오히려 이해가 안 가는 추상적인 단어, 어려운 한자, 어디서 들어본 듯한 말, 도덕책에 나올 법한 옳은 소리, 아니면 그냥 내 입장만 일방적으로 늘어놓는 게 세상 제일 편한 방법이죠. 이런 글은 잘 읽히지 않아요. 생각이 딴 길로 흐르고, 어느새 슬그머니 책을 내려놓고 핸드폰을 만지게 되지요. 글이 가독성 좋고 흥미롭다는 건, 글쓴이가 독자를 붙들기 위해 그만큼 엄청난 생각 노동, 감정 노동, 쓰는 노동을 했다는 의미랍니다.

이 책에 실린 글들은 하나같이 술술 읽혀요. 일곱 분의 작가님들이 각자 한계에 부딪히며 무수한 낮과 밤을 글 속 인물들, 사연들과 뒹구는 시간을 보낸 결과입니다. 정말 애쓰셨어요. 못 쓸 것 같은 두려움에도 불구하고, 도망가려는 나를 붙들어 책상에 앉히고, 눈물이 나올 것 같은 갑갑함을 느끼며 한 줄 한 줄 글을 쓴 바로 그 순간, 글 근육이 쑥쑥 자랐을 거예요. 글 쓰기가 가능한 '좋은 몸'을 갖게 되신 것, 축하드려요. 물론 앞으로도 글 쓰기가 쉬워지는 일은 결코 없을 거예요. 이건 뜨거운 축복이랍니다. 왜냐하면, 글 쓴 후 얻는 쾌감과 만족감이 날이 갈수록 커질 것이기 때문이에요. 누구든 같은 과정을 겪는답니다. 그러니, 제 말을 믿고, 아니 자기 자신과 동료를 믿고, 글 쓰는 삶 이어가시길 응원합니다.

3년 동안 학교에서 '학부모 독서글쓰기 모임'을 꾸려주신 정은영 선생님께 감사드립니다. 바쁜 교사의 일상에 사업을 벌인다는 게 쉬운 일이 아닌데 말이에요. 강사인 제게도 무척 귀한 시간이었고, 이렇게 모임 구성원들이 책까지 내게 되다니 이런 게 인연이고 기적 아닌가 싶어요. 그 3년 동안 내내 함께 한 보랑, 2년 차인 길, 놀자, 몸짓으로, 해바라기, 그리고 올해 처음 만난 날아라, 마이몽. 자려고 누우면 "글쓰기 너무 힘들다"는 여러분의 성토가 끈질긴 모기소리처럼 아득하게 들려오곤 했답니다. 최종 원고를 모아놓고 보니, 더 자세히 써달라, 여기 고쳐달라, 이 내용 채워달라며, 힘들어하실 거 뻔히 알면서도 눈 딱 감고 밀어붙이길 잘했다는 생각이 들어요. 여러 분에게 해낼 역량이 있음이 이 책으로 증명되었으니까요. :-)

남이 해주는 밥이 가장 맛있듯, 여기 일곱 작가의 싱싱하고 다채롭고 맛깔스러운 글이 가득 담겨 있습니다. 토요일 낮 두 시, 낮잠을 자도 부족할 시간에 모여서 치열하게 글 공부하고, 더운 여름날 책상 앞을 고독하게 지킨 끝에 얻은 열매이지요. 부디 이 글들이 새벽 종소리처럼 은은하게 독자분들의 가슴에 가닿기를 소망합니다.

정은영 (수박) 대인고 교사

2019년, 나는 도서관 업무를 맡고 있었고 우연히 교육청에서 마련한 글쓰기 연수(강의)에 참여해 은유 작가를 만났다. 그때까지는 은유 작가를 잘 몰랐는데 글쓰기 수업을 해 오셨다는 이야기가 너무 인상적으로 다가왔다. 나도 그 수업에 직접 참여하고 싶었지만, 낮에만 하는 강의였다. 그래도 기회가 곧 찾아왔다. 바로 육아휴직. 2020년 내 아이가 8살 되던 그해, 한 학기 휴직을 했는데 그때 드디어 은유 작가의 글쓰기 수업에 참여하게 된 것이다. 첫 소개를 하던 날, 이 수업을 듣기 위해 휴직을 했다고 농담처럼 말했는데 사실은 진심이었다.

누구나 그렇듯이 내 삶에도 몇 번의 전환점이 있었고, 은유의 글쓰기 수업도 그중 하나였다. 그 수업을 들으면서 글 읽는 사람, 글 쓰는 사람이 되고 싶다는 생각을 하게 되었다. 그전에는 내가 정체되어 있다는 느낌이 있었는데, 다시 성장할 수 있는 기회를 만난 것이다. '나'를 깊이 들여다보는 것이, '나'의 목소리를 가지는 것이 얼마나 가치 있는 일인지 알게 되었다. 그리고 이 경험이 너무 소중하고 뜻깊어서 그 후로도 상황이 허락된다면 글쓰기 수업에 참여하려고 애쓰고 있다.

나는 우리 아이들에게도 이런 경험을 나눠주고 싶었다. 그리고 우리 학부모님들에게도 내게 찾아왔던 기회를 만나게 해주고 싶었다. 나와 비슷한 또래로, 여성으로, 엄마로 살아가는 그분들께 남모를 유대감과 연대감이 있어서였다. 누구누구 어머님이 아니라 본인 자신으로 삶을 바라보기를 바라서였다. 하지만 나처럼 휴직을 하고 혹은 정기적으로 조퇴를 하며 서울까지 매주 찾아가는 게 어려운 사람들이 많다는 것을 안다.

그래서 2021년 은유 글쓰기 수업을 통해 알게 된 바람을 우리 학교로 모시게(?) 되었고, 학생 학부모 독서 글쓰기 모임을 만들었다. 그게 벌써 3년째이다. 작년부터는 학부모님들이 자발적으로 독서 모임을 꾸려왔으며, 이렇게 작가님들이 되었다.

과장이 아니고, 이 글을 쓰다 보니 괜히 울컥한다. 나의 작은 나눔이 큰 결실을 이루는 느낌이라 괜히 뿌듯하고 우리 작가님들이 너무 멋져서 어디든 자랑하고 싶다. 그러니까, 이렇게 자랑할 기회를 준 교육청 담당자분에게 감사하다. 거슬러 올라가서 나를 이끌어 준 은

유와 우리를 이끌어 준 바람에게도 감사하다. 물론 가장 감사한 건 끝까지 책을 완성한 우리 작가님들이다. 아, 결국 쓰다 보니 나의 소감은 '감사함', 그 단어면 충분했다는 생각이 든다.

길 (배선혜)

책 읽는 것을 좋아합니다. 내 이름이 적힌 책을 언젠가는 만들고 싶었습니다. '이모임'에서 인천시 읽걷쓰 책쓰기 공모전에 신청했고 기쁘게도 당선이 되어 내 책이 나올 수 있겠구나, 기쁨의 시간을 잠시 가졌습니다. 퇴고의 시간을 보내며 하고 싶은 마음으로만 시작할 수 없는 것이 글쓰기라는 것을 알았습니다. 나를 온전히 들여다볼 수 있는 용기와 문장력이 필요하고, 세상을 편견 없이 바라봐야 한다는 것을 알았습니다. 쓰고 싶은 이야기를 깊이 다시 생각하며 글로 재해석하는 것이 힘들었지만, 그때를 떠올리며 미소가, 때론 울컥 눈물이 차오르기도 했습니다. 나의 글만 지적당하는 것 같고, 반복되는 단어와 문장을 고치며 잘할 수 있을까? 의심이 들기도 했습니다. 두려움의 시간을 지나 내 안의 모든 것을 그대로 인정하는 순간 글이 써졌습니다. 글쓰기를 통해 나를 깊이 있게 이해할 수 있는 성숙의 시간을 가졌습니다. 누구나 책을 읽고 글을 쓸 수 있습니다. 함께 한 용기 있는 '이모임' 예비작가님들과 바람 작가님 덕분에 나의 이야기를 온전히 해낼 수 있었습니다. 감사합니다.

날아라 (박상희)

한 살 한 살 나이가 들면 저절로 어른이 되는 줄 알았습니다. 풋풋한 10대, 열정 가득한 20대, 활력이 넘치는 30대를 거쳐 40대가 되면 원숙함과 노련미가 저절로 생겨나는 줄 알았습니다. 하지만 여전히 서투르고 실수하는 나를 발견합니다. 어른이 된다는 것은 내가 무엇을 좋아하고 싫어하는지, 내가 무엇을 잘할 수 있고 무엇을 잘 못하는지 대해 끊임없이 찾아나가는 과정인 것 같습니다.

나를 찾는 여정에서 '글쓰기'를 만났습니다. '글쓰기'를 통해 가만히 나를 들여다보았습니다. 불안해 하는 나, 질투하는 나, 수치심을 느끼는 나를 꼭꼭 숨겨 두고 싶었지만 내보이고 마주하고자 애썼습니다. 앞으로도 숨바꼭질하고 있는 나를 토닥여 주는 글을 쓰면서 나에 대해 알아나가는 삶을 살아가고 싶습니다.

놀자 (김소영)

숨 가쁘게 하루하루를 살다 보니 지나온 나의 시간을 돌아볼 여유는 없었습니다. 좋은 기회로 글을 쓰며 풋풋한 여고생이었던 나, 서툴지만 열정으로 가득했던 젊었던 나, 지금도 열심히 살아가고 있는 나를 만날 수 있었습니다. 기억을 더듬으며 가슴 설레기도 했고 때론 아프기도 했습니다. 그래도 나름대로 최선을 다해 살아왔다는 생각이 드네요. 지금의 내가 예전의 나를 만난 특별한 여름이었습니다.

마이몽 (이지연)

나의 생각을 온전히 글로 담아낼 수 있다면 얼마나 좋을까요?

내가 원하는 곳을 자유롭게 다닐 수 있는 기동력보다 어쩌면 더 바라고 있는 일이란 생각이 듭니다. 글을 특별한 재주가 있거나 전문 작가들만 쓰는 것으로 생각했습니다. 혼자만 보는 일기만 쓰다가 누군가에게 공개되는 글을 쓴다는 것이 부담스럽기도 했습니다. 운전이란 주제로 정말 쓰고 싶은 말들이 많았지만, 글에서 잘 담아지지 않아서 답답하기도 했습니다. 다른 사람들의 글을 보며 내 글이 너무 초라한 것 같아 다시 보고 싶지 않았던 순간들도 있었습니다. 그럼에도 불구하고 글을 쓰는 사람으로 한 발 내디딜 수 있었고 이제는 '쓰고 싶은 사람'에서 '쓰는 사람'이 되었습니다. 몇 년째 초보 운전자로 살아가고 있듯이 아마도 글쓰기도 초보 신세를 벗어나지 못할 수도 있지만 제 삶에서 놓지 않고 글을 쓰며 살아가고 싶습니다.

"혼자 가면 빨리 가지만 함께 가면 멀리 간다"

함께 할 수 있기에 가능했고 앞으로도 계속 서로의 성장을 응원하며 글모임을 이어갈 수 있기를 바라봅니다.

몸짓으로 (이경희)

작년에 독서 모임 하면서 글도 썼기에 이런 글들을 문집으로 만들면 좋겠다는 말들이 나왔어요. 올해 들어서 이렇게 그 기회가 와서 우리의 글들을 책으로 낼 수 있겠구나 하는 기대와 설렘을 안고 작업을 시작했습니다. 그동안 썼던 글들을 다시 다듬고 수정하는 과정을 수없이 겪었고, 덧붙여 새로 운전이라는 키워드를 정하고 글을 썼습니다. 처음에는 새로 글들을 쓰는 것이 아니라 그동안 모임하면서 기존에 썼던 글들을 조금만 손보면 되겠구나, 하는 안일한 생각을 했었는데 그것이 나의 착각이었네요. 그 과정은 정말 지난했습니다. 마치 거칠고 딱딱한 돌을 다듬어 매끈한 조각으로 만들어 내듯 우리의 글도 읽는 독자들에게 좀 더 재미있고 편하게 공감할 수 있는 글들로 완성되어 나갔네요. 서로의 달라진 글들을 통해 성장하는 모습을 보았습니다. 이 글들이 감히 작가라는 이름으로 내는 처음이자 마지막이 될지 모르지만, 그 힘들고 어려운 과정을 치열하게 겪었기에 나름의 뿌듯함도 있을 거라고 생각합니다.

그리고 아! 작가들이 한 권의 책을 내기 위해 얼마나 힘든 작업을 했을까?를 깨닫기도 했습니다. 앞으로 책을 읽을 때 그 속에 그들의 수고와 노력을 느끼면서 읽어야겠다는 생각을 했습니다.

다시 우리는 원래의 자리로 돌아가 매달 책을 읽고 글을 쓸 것입니다. 이제는 기존의 글과 다른 좀 더 업그레이드된 글을 쓰지 않을까 합니다. 내년에 문집을 내게 되든, 이렇게 책을 만들어 내든 올해의 글들과 비교해 보는 재미가 있을 듯합니다.

그동안 꼼꼼히 봐주신 작가님과 애정으로 합평해 주신 회원분들께 감사했습니다.

보랑 (백은실)

살아가면서 하는 첫 번째 경험은 중요해요. 학교에 입학하던 날, 첫 출근날, 첫 아이를 품에 안았던 날처럼, 처음은 누구에게나 특별하기 때문이겠지요. 어른이 된 후 처음 내 이야기를 글로 쓰고, 책을 만들게 된 이 일 또한 나에겐 그렇습니다. 아주 오랜 시간 글을 읽고 책을 소비하는 사람으로만 살아왔는데 이젠 제 이야기를 쓰고, 책을 지어낸 사람이 되었다니 정말 믿기지 않아요.

어릴 적 나는 독서가 재미있었어요. 대한서림에 가면 내가 갖고 싶은 책을 누가 먼저 사 갈까봐서 손이 닿는 가장 높은 책꽂이, 제일 구석진 자리로 옮겨 숨기곤 했지요. 하지만 일을 시작하고, 아이를 낳아 키우면서는 책을 읽기가 쉽지 않더라고요.

아이와 함께 같은 책을 읽고, 공유할 이야깃거리를 찾고 싶어 시작했던 책모임이 '보랑'이라는 새 이름을 제게 가져다주었어요. 모르고 살면서는 보이지 않던 세상 곳곳 다양한 사람들의 이야기를 알게 되었지요. 그리고 천천히 내 이야기를 꺼내보기 시작했어요.

자기 서사를 쓴다는 건 정말 생소하고 어려운 일이었어요. 글감을 떠올리기도 힘든데, 첫 문장을 쓰고 글을 끝맺고, 고쳐 쓰는 모든 순간이 고되게 느껴졌고요. 일기장 속에서 내가 다시 펼쳐봐 주길 기다리는 예전 내 글들과는 다르게, 누군가에게 읽히는 글을 쓴다고 생각하니 부담스럽기도 했어요. 그런데 어느 순간에 나도 잘 모르고 있던 내 속마음이 문장들 틈을 비집고 새어 나오는 것 같았어요. 그 시절 오해와 슬픔이 이해와 감사로 변하고, 공포는 코미디로 각색되고, 경험과 기억은 추억과 행복으로 다가오기도 했습니다.

혹시 글쓰기를 시작하려는 누군가 있다면 말해주고 싶어요.

"어쩌다 보니 시작했는데, 해보니 꽤 괜찮네요."

해바라기 (임은자)

내 글이 감히 책 페이지를 차지할 수 있다는 소식은 다시없을 행운이었다. 사춘기 때 시를 무척이나 좋아했던 문학소녀의 이력과 달리 시작은 자질도 기본도 얕은 바닥이 드러났다. 글 쓰는 방법의 좋은 책들과 함께 바람 작가님의 도움으로 드러난 바닥을 열심히 채우려고 노력했다.

아직도 글을 쓰는 건 한없이 서툴지만, 서툰 대로 계속 쓸 계획이다. 글쓰기는 써 내려가는 시간보다 렉 걸린 컴퓨터처럼 멈춰있는 시간이 더 많다. 생각하고 또 생각하다 보면 잊혔던 기억이 떠오르기도 하고, '왜 그랬을까?'였던 일이 '그래, 그럴 수 있었겠다'로 그때와 전혀 다른 감정을 느끼기도 한다.

그렇게 글쓰기는 내게 누군가를 귀하게 만드는 마법 같은 시간이었다.

© 글 대인고등학교 이토록 뜻밖의 책모임

초판 1쇄 2023년 11월 27일 발행
발행처 (주) 작가의탄생
임프린트 인생산책
펴낸이 김용환
디자인 박지현
주소 04521 서울시 중구 청계천로 40 한국콘텐츠진흥원 CKL 1315호
대표전화 1522-3864
전자우편 we@zaktan.com
홈페이지 www.zaktan.com
출판등록 제 406-2003-055호
ISBN 979-11-394-1694-7 03810

* 인생산책은 작가의탄생의 출판 임프린트 입니다.

이 책 내용의 전부 또는 일부를 이용하려면 반드시 저작권자와 (주)작가의탄생의 서면동의를 받아야 합니다.

* 잘못된 책은 바꾸어 드립니다.
* 책값은 뒤표지에 있습니다.